PORTO ARQUITECTURAS – LOJAS DO PORTO

Esta edição teve o apoio de:

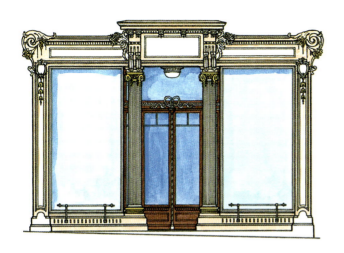

VOLUME 1 *Lojas do Porto*

LUÍS AGUIAR BRANCO

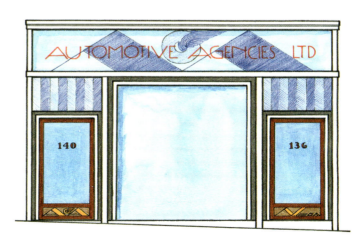

... um agradecimento profundo aos meus pais

VOLUME I	PREFÁCIO	7
	INTRODUÇÃO	9
	PARTE I – EVOLUÇÃO COMERCIAL E MERCANTIL. ENQUADRAMENTOS	11
	1. Enquadramento geográfico e antecedentes humanizados	13
	2. A urbe medieval	17
	3. A esfera dos descobrimentos, expansão e êxtase	29
	4. Do império filipino…	35
	5. … Até aos orgulhosos sacrifícios da restauração	39
	6. Ouro e diamantes caem do céu	42
	7. Terramoto e despotismo iluminado	46
	8. Tempos de caos, insegurança e novos ideais	50
	9. Regeneração, expansão e modernidade	59
	10. As lojas	71
	11. A mudança de rumo – séculos XIX-XX	80
	12. Do Estado Novo ao Estado Velho	97
	13. Democracia e visão europeia	113
	PARTE II – LEVANTAMENTO E REGISTO ARQUITECTÓNICO	119
	Alimentação	122
	Têxteis e vestuário	176
	Calçado e marroquinarias	223
VOLUME II	Bazares	8
	Relojoarias, ourivesarias	12
	Equipamento da casa	46
	Lazer, desporto, cultura	106
	Saúde e beleza	140
	Combustíveis e materiais de transporte	178
	… À volta de um chá	192
	Serviços de natureza económica	204
	REFERÊNCIAS BIBLIOGRÁFICAS	213
	ÍNDICE DE AUTORES DE ARQUITECTURA	221
	ÍNDICE GERAL, VOLUMES I e II	225

Símbolo do Comércio existente no revestimento azulejar exterior da papelaria Araújo & Sobrinho no Largo de S. Domingos

Página seguinte: desenho de figura escultórica do remate superior do antigo edifício dos Armazéns Nascimento, localizado na esquina da Rua de Santa Catarina com a Rua de Passos Manuel

Prefácio

A cidade é filha do comércio, ensina Henri Pirenne.

Essa paternidade confronta-se, no entanto, com outras possibilidades, como os avanços na produtividade agrícola que terão permitido aumentar os excedentes, impulsionando a diversificação profissional e a concentração de pessoas; ou a necessidade de defesa que impôs como vantagem no assegurar da sobrevivência a reunião de muitos em espaço restrito, de preferência ao abrigo de muros, ou da água, quando não das paredes cegas das casas (como na Çatal Huyuk de há oitenta séculos).

Seja como seja, como causa ou consequência (e sobretudo como ambas), raramente a cidade progrediu não se situando no encontro de caminhos (que a sua existência ajudou também a traçar) e não sendo capaz de assegurar trocas de especificidades produtivas distintas entre regiões.

Assim foi com o Porto, que tirou vantagem da dificuldade de transporte entre o interior, pelo rio, e para mais longe, pela barra e pelo mar, de toda uma região de que se foi afirmando a pouco e pouco como cidade principal. Além disso, à medida que este comércio «externo» ia crescendo, maior quantidade e mais diversificados bens se comercializavam em tendas e lojas de artífices, ou em venda itinerante e recintos de feiras.

Mas falar de comércio na cidade implica necessariamente considerar o papel dos retalhistas em lojas de rua, com as suas montras, letreiros e toldos. O comércio que alguns hoje querem chamar tradicional é um dos motores da revolução urbana do século XIX, já que, com a venda ambulante perseguida, as feiras extintas ou periferizadas (para as lonjuras de Corujeira, Arca de Água ou Boavista) e a segmentação de fabrico (nas fábricas) relativamente à venda a dificultarem a sobrevivência do artesão, impõe-se o comércio moderno, com patrões, caixeiros e marçanos e toda uma profusão de nomes estrangeiros (logo, prestigiados!) associados à novidade e aos produtos exclusivos (Livraria Moré, Relojoaria Courrège, Farmácia Birra, Pastelaria Preud'Homme, …). Além do mais, emergia um novo espaço na geografia do Porto: o centro único e plurifuncional, ou a «Baixa» (ainda que na parte alta relativamente à Ribeira e Infante).

De uma convivência entre várias formas de venda com produtos pendurados ou espalhados nos passeios, discussões de preço e horários incertos, a par da loja sofisticada, com «montres» e «vitrines», preço fixo e até auto-serviço (como nos Armazéns Hermínios de finais de Oitocentos), foi um percurso relativamente curto. De facto, no final das primeiras décadas do século XX é já muito clara a afirmação e prestígio da Baixa, tendo-se multiplicado as lojas pelos arruamentos amplos e rectilíneos que João de Almada em finais de Setecentos tinha feito rasgar, regularizar ou prolongar (Clérigos, 31 de Janeiro, Almada, Santa Catarina, Formosa, Santo Ildefonso, Cedofeita,…) e pelos outros, ainda mais recentes, que o espírito modernizador de Elísio de Melo conquistou para a cidade no início do século XX (Aliados, Sá da Bandeira, Carmelitas,…).

Neste espaço, em torno da Praça da Liberdade e com significativa força no eixo Clérigos-31 de Janeiro, as novas lojas cresceram em número de ano para ano e espalharam-se pelos arruamentos à volta, impulsionadas pelo aumento da procura, alimentadas pelo espectacular crescimento demográfico da cidade, assim como pelas novas possibilidades de visita que a Estação de S. Bento e as novas linhas radiais do eléctrico permitiam.

O triunfo da cidade, indisputada «capital do Norte», é por isso também (ou sobretudo?) o triunfo da cidade do comércio, exuberante em espe-

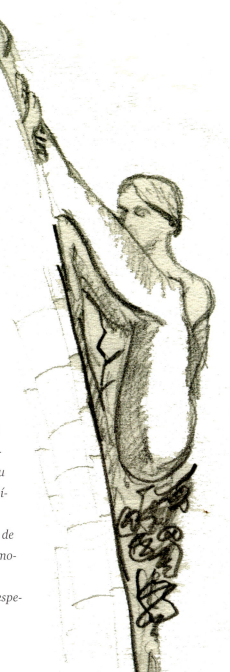

cializações económicas, algumas entretanto perdidas (luvarias, casas de gabardinas, chapelarias, …), assim como na arquitectura (com destaque para a arte nova e o eclectismo da art déco*), na decoração interior e no profissionalismo de uma profissão prestigiada (que organizava passeios pelo país e fundou o Ateneu Comercial).*

Ao longo do século, antes do triunfo da democracia, antes da integração de Portugal na União Europeia e de um processo de concentração empresarial e de globalização que afectou o comércio retalhista e a forma como nós, consumidores, nos relacionamos com ele, a evolução fez-se essencialmente na continuidade. Ou seja, a Baixa, que se afirmou e consolidou, reinou como grande centro concentrador dos bens mais requintados, com destaque para os de uso pessoal (jóias, vestuário, sapatos, …), ganhando lojas de novas arquitecturas e expressões visuais e decorativas, ao mesmo tempo que se expandia na horizontal (ao longo de Santa Catarina e Sá da Bandeira para norte, de Santo Ildefonso e Bonfim para leste, de Cedofeita para noroeste, …) e se intensificou o uso dos prédios (com secções especializadas ou de armazenagem em andares inferiores ou superiores ao superaproveitado rés-do-chão).

São essas lojas que se revisitam neste belo trabalho de muitos anos de Luís Aguiar Branco. Num texto que as inscreve num percurso histórico de poucas e muito sumarentas frases e se desdobra em ilustrações belíssimas que nos obrigam a considerar a sua qualidade estética e funcional.

São essas lojas que hoje enfrentam dificuldades, num tempo de uma outra revolução, feita também em parcela importante pelo comércio, de grandes, médias e conjuntos de muitas lojas (mais cinemas e restaurantes) inseridas em espaços higienizados e tornados centrais pelas redes de relação rápida e pelo processo de suburbanização residencial. É neste espaço alargado que a Baixa, o novo centro de finais do século XIX, hoje tornado «tradicional», tem de viver, com as suas lojas de há cem anos. Não apenas como memória, para prazer das nossas nostalgias e admiração de turistas; não também à espera de um (impossível) recuo no tempo; não ainda como reprodução barata e necessariamente fraca de centros comerciais, com coberturas e animações forçadas e (mal) encomendadas.

Solução? Não há uma, mas muitas. E todas já experimentadas e a conhecerem sucessos variados em vários países, quase sempre tendo por base o ordenamento do território e a consideração que o comércio ainda não conquistou no urbanismo português. Mas não é de soluções que aqui se trata, nem de lamentos pelos excessos de uma certa modernidade ou pelos desperdícios resultantes; trata-se antes do reconhecimento do valor das lojas do Porto, algumas das quais há muito mereciam este olhar mais cuidadoso e interessado que nos é proposto, a lembrar também, até pelo desaparecimento de muitas das que são apresentadas, a vantagem de as consideramos como parte importante da identidade da cidade, por certo feita não apenas de igrejas e palácios, ruas e praças.

Felizmente que os visitantes, sejam estudantes universitários, portuenses da segunda à sexta, fora do Verão e do Natal, nos ajudam a reaprender a viver de novo a «cidade tradicional», impulsionando o aparecimento de novos usos para velhas lojas, multiplicando-se junto aos cafés da Baixa, no caminho para o Douro ou na ligação a Miguel Bombarda, de soluções de retorno de venda ambulante, da aposta em novos nichos de consumo ou opções de um irresistível hibridismo (café-bar-livraria, galeria-livraria-sala de concertos, …), numa cidade com novos ritmos e múltiplas temporalidades.

A cidade do comércio segue viva. Feita também da mercearia de sempre, cujos clientes envelhecem ou desaparecem, ou da sapataria que se esforça por resistir à crise, sem saber bem como.

É o Porto, cidade de comércio, onde algumas lojas se abrem, outras se transformam (adaptando-se, ou transfigurando-se), mas onde muitas se perderam e outras vão fechando, de ano para ano. Com muita indiferença pública face ao que é também o desaparecimento de parte da memória colectiva da cidade e da memória individual de cada um dos que as conhecia e as frequentava, numa perda que afecta também aqueles que nunca as conheceram. Este livro é, por isso, uma oportunidade também de as revermos, antes de outras transformações, ou desaparecimentos, mesmo aquelas que conhecemos, mas porventura não tínhamos ainda aprendido a ver.

J. A. Rio Fernandes

Introdução

O início de um qualquer caminho faz-se pela busca da descoberta pessoal, mergulhando nos espaços, nas pessoas, nos livros, numa incessante procura de uma nova espécie, subespécie ou variante, reconhecendo a hibridez e sentindo que a palavra MUNDO só faz sentido na riqueza que a variabilidade dos factores induz no meio, nas coisas e no Homem.

Esse mundo à espreita recebe de braços abertos os olhos que o procuram. Para além dos desdobramentos actuais assumidos pelo conhecimento fisiológico, os sentidos universais – paladar, tacto, audição, olfacto e visão – constituem elementos determinantes na recepção personalizada das impressões externas.

No meu percurso de descoberta esteve sempre presente uma vontade indomável de tornar finito o infinito, materializando-o depois numa síntese personalizada e ingloriamente incompleta.

Este estudo nasce de um entrecruzar de vontades com o Dr. Manuel Luís Real (Arquivo Histórico da Cidade do Porto) há quase 20 anos, partindo de uma ideia para elaborar um desdobrável que dignificasse as lojas mais representativas desta cidade. O estudo global transformou-o em livro e os rumos imponderáveis da vida de cada um destinaram-lhe um espaço pessoal não esquecido na minha biblioteca privativa.

Durante este tempo terminei os estudos superiores e, relativamente a este amado espaço geográfico, dediquei 10 anos de labor na concepção, coordenação e sistematização do IPAP (Inventário do Património Arquitectónico do Porto), sintetizado num *corpus* informático designado LOCVS, desenvolvido na DPC (Divisão do Património Cultural) da Câmara Municipal do Porto. Outros contributos decisivos em relação à materialização da protecção de valores arquitectónicos-históricos-estéticos-paisagísticos-culturais-sociais foram dados através do processo de classificação da Foz Velha, da Carta do Património do PDM-Porto, entre outros assuntos pontuais como o Mapa da Cidade do Porto em 1500.

Perdido na absorvência das coisas, reconheci na fina ironia dos verdadeiros amigos a lembrança saborosa de uma leitura ausente com as imagens das lojas do Porto encobertas pelo pó do esquecimento.

Este livro-documentário constitui uma síntese de um trabalho mais global, registando todos os espaços comerciais tipo-loja através de centenas de fotografias e desenhos que denunciam fachadas, espaços interiores e pormenorizações estéticas de exposição, para além de uma recolha histórica-iconográfica que permitisse a reconstituição de espaços mutilados pela ultrapassagem feérica das modas.

Pormenor interior da Papelaria Modelo no Largo dos Lóios

Pretende-se incluir no tempo histórico da evolução comercial da cidade do Porto os vários momentos que contribuíram para a actual existência sobrevivente, integrando a percepção dinâmica de que o comércio, enquanto espaço de troca-venda-compra, mas também de convívio e conflito, possui uma lógica profundamente transversal a todos os factores da vivência humana. Na análise desse tempo histórico são incorporados alguns destaques da evolução urbana que, no meu entendimento, foram elementos catalisadores da actividade comercial, assim como alguns momentos políticos e militares que condicionaram profundamente a actividade económica em largos períodos da história portuense.

As sínteses evidenciam algumas alegorias para dar oportunidade a cada pessoa de reflectir de modo próprio sobre os acontecimentos de cada época. A busca de verdades históricas mais profundas deverá ser conseguida através da consulta da vasta bibliografia existente sobre cada tema, não tendo sido entendidas como prioritárias para a lógica deste estudo.

Este livro não é um livro de História; mais do que um estudo de Arquitectura, é um livro que retrata em imagens os ambientes humanos e estéticos dos espaços comerciais por onde passa uma grande parte da socialização entre as pessoas comuns. É essa vaidade simples que o meu espaço mental ocupa, conduzindo a mão embriagada em desenhos.

Desenho de conjunto mostrando uma sequência do piso térreo alterado com estabelecimentos comerciais na Rua de Santa Catarina

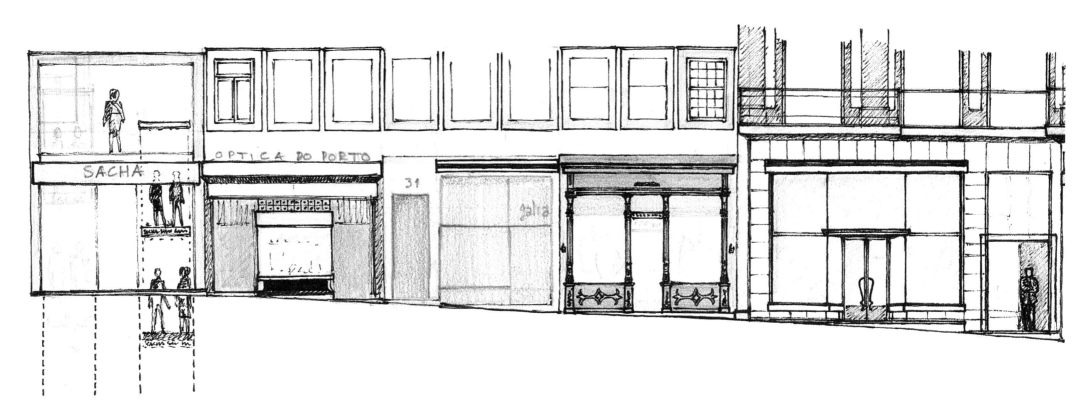

Evolução comercial e mercantil. Enquadramentos

ENQUADRAMENTO GEOGRÁFICO E ANTECEDENTES HUMANIZADOS

Contexto geográfico

As determinações geográficas encarregaram-se de influenciar o alastramento e a fixação dos primeiros homens, que, comandados por uma natureza intuitiva, se relacionam em interacções com o meio envolvente, segundo os ritmos solar e lunar.

Neste local, as diversidades antagónicas imperam, com um clima amenizado de influências atlântico-mediterrânicas, próximo do oceano de praias ou rochas, do rio Douro de margens escarpadas ou arenosas, de esteiros alagadiços, de vales agrestes ou amenos enriquecidos por linhas de água, de relevos vigorosos em «penas ventosas», assim como de planaltos que clamam a sedentarização dos horizontes megalíticos simbólicos em «antas». Dir-se-ia que, não sendo abundante em nada para além do granito, possui, contudo, uma riqueza própria que lhe advém da variedade, havendo de tudo um pouco, e, mais importante do que isso, da proximidade de todas as riquezas regionais, que, num tempo sem estradas, confluem até este ponto estratégico pela segunda maior bacia hidrográfica da Ibéria – o rio Douro –, permitindo na sua foz próxima desaguar para um imenso mundo de oportunidades, ganhando um lugar nas trocas comerciais do tempo romano, que as recentes descobertas arqueológicas evidenciam e que as futuras se encarregarão de confirmar.

Margem ribeirinha do Douro, nos Guindais

Síntese da evolução histórica

Sobre os castros romanizados impõe-se uma nova ordem, preparando caminho a um protocapitalismo económico destinado a abastecer a capital do império – Roma. Apesar de em épocas anteriores existir já a comercialização esporádica de produtos indígenas (provavelmente por método de troca com as comunidades vizinhas mas também com povos mais avançados que buscavam riquezas de valor acrescentado), será através da permanência secular da estruturação do território romanizado que se dinamizarão os factores de produção, distribuição e venda.

As sucessivas vagas dos povos do Centro-Oriente europeu que provocam o desmoronar do Império Romano, apesar de consagrarem o valor estratégico de Portucale, não impedem a existência de uma permanente turbulência que se prolonga por uma longa noite de séculos, acrescentada pelas incursões vindas do Sul muçulmano ou do Norte da Europa.

Este quadro de instabilidade que atravessa gerações influi de forma negativa sobre a organização de qualquer actividade económica, onde a única estrutura que perpassa é a do sistema paroquial religioso, tentanto alimentar o corpo e a alma dos homens.

O ano de 868 está marcado pela presúria de Portucale pelo conde Vímara Peres, verificando-se uma reorganização do território que, apesar de momentos instáveis, tem uma continuidade de acções nas linhagens nobres que lhe sucedem por quase dois séculos, sedimentando um repovoamento pulverizado em paróquias. Este aspecto irá ser fundamental na geografia humana e económica, pois a necessária articulação entre as póvoas obriga à recuperação das envelhecidas estradas romanas e à criação de novas estradas medievais, que irão estar na base de uma estru-

Pormenor do Cavalo de Vímara Peres (estátua) e da Sé Catedral acastelada

tura de circulação de bens e produtos, possibilitando a fiscalização de um vasto Noroeste portucalense.

Esta consistência estrutural vai estar na base de um território novo que se prolonga para sul ao longo da costa e se demarca nos esforços de independência como reino autónomo em 1139 com D. Afonso Henriques, que havia assumido o governo do condado em 1128.

Entretanto, o burgo estratégico renova-se na doação à Sé do couto portucalense por D. Teresa (1120) e no dinâmico bispo D. Hugo que concede a Carta de Foral à cidade (1123), com privilégios amplos e inovadores relativamente ao fomento comercial.

Povoamento e pré-urbanismo

Ao longo de todo este trajecto inicial de conformação urbana é provável que a sedimentação do processo tenha acontecido com as primeiras fixações de povos nómadas, através de uma formal agregação celular em círculos, próximo de uma envolvente que lhes permitisse uma subsistência alimentar e produtiva, transferindo em tempos inseguros essa lógica de povoamento para cumes estratégicos, de que os castros dão exemplo.

A romanização desses povoados confronta-os com as linhas rectas do ordenamento romano em cruz, para além das estruturas-equipamentos típicas do império, e uma assimilação-transformação das células circulares em quadrangulares.

A robustez militar provocada pelo maciço granítico da torre da Sé Catedral

Com o passar dos povos é este o formato orgânico de aglomerações que se desenvolve, organizando-se progressivamente à volta de uma capela-igreja, com pequenas parcelas e pequenos edifícios que o crescimento demográfico se encarregará de densificar, induzindo excedentes produtivos, estimulando a concorrência e as trocas, detectando as insuficiências, procurando as necessidades e reflectindo para o espaço urbano a invenção de uma arquitectura burguesa que se intromete entre o Clero, a Nobreza e o Povo.

A afirmação da cidade (*civitas*) é a afirmação do comércio (*commutatio merciums*), do mercador (*mercator*), do burguês (*burgs*), das cabeças de gado (*pecus/pecunia*), das trocas, das feiras, da moeda e dos metais, dos pesos e medidas, dos grossistas e retalhistas… e da aproximação das pessoas e dos povos.

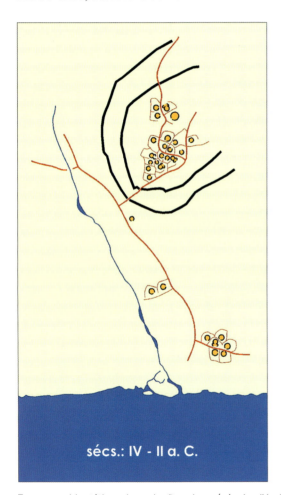
sécs.: IV - II a. C.

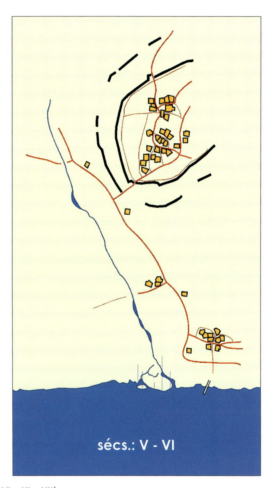
sécs.: V - VI

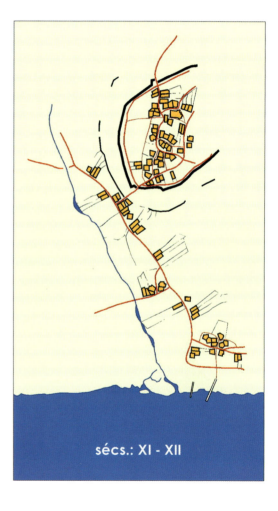
sécs.: XI - XII

Esquemas hipotéticos de evolução urbana (séculos IV a II a.C., V a VI e XI a XII)

A URBE MEDIEVAL

A cidade medieval ganha horizontes simbólicos de pedra evidenciados, sobretudo, no burgo episcopal com a Sé Catedral e o Paço do Bispo, insinuando nos céus o perfil ameado dos castelos. Na sua envolvente próxima, delimitada pela primeira muralha de outras eras, configuram-se a Casa da Câmara, o espaço da Feira, o Mercado, o Açougue, tendas e oficinas, estabelecendo-se disposições fiscalizadoras de pesos e medidas.

Com a densificação dos aglomerados «urbanos» da Sé, de Santo Ildefonso, Ribeira-Barredo, Banhos e Miragaia, a cidade aproxima-se e cresce ao longo dos arruamentos que os ligam e utiliza um parcelamento estreito e comprido de provável influência centro-europeia.

Reconstituição hipotética do Largo e alpendre da Sé no século XVI

Rua dos Mercadores

A principal via de ligação entre a zona alta e baixa era a Rua dos Mercadores, dignificada com construções em forma de torre, dos enobrecidos burgueses ricos, que denotavam uma arquitectura de simbiose escalonada nos espaços de comércio, armazém e habitação.

À esquerda: Local na Rua do Mercadores onde se insere a Casa-Torre visível na reconstituição, actualmente camuflada pelas construções vizinhas de altura idêntica
Em cima: Reconstituição hipotética da Rua dos Mercadores no século XVI, na zona onde se destacava a Casa-Torre, ainda existente na actualidade

Alfândega

No espaço ribeirinho afirma-se o poder real através de um paço acastelado com a função de alfândega (1325) e uma profusão de espaços anexos onde funcionavam a Casa da Moeda, a Contadoria da Fazenda, a Bolsa dos Comerciantes e armazéns vários.

Reconstituição hipotética do edifício da Alfândega do Porto no século XIV, conhecida na actualidade como Casa do Infante, onde funciona o Arquivo Histórico da Cidade do Porto

Escudo Joanino no edifício da actual Rua do Infante D. Henrique, que o monarca terá cedido em 1412 aos mercadores para aí se instalar a primeiro Bolsa de Comércio da Cidade

Conventos mendicantes

A meia encosta, as moles graníticas dos conventos mendicantes de S. Francisco (junto dos renovados Banhos) e, principalmente, de S. Domingos, com o seu amplo alpendre gótico que se oferecia à cidade num rossio de feira repleto de boticas, desempenhando um papel relevante como centro político e económico da actividade burguesa e comercial.

Muralha

Com a actividade mercantil a desenvolver-se de forma vincada, a urbe medieval constrói o sonho de uma robusta muralha de perímetro alargado (1355-1376), simbolizando o fascínio da cidade cobiçada mas defensivamente robusta.

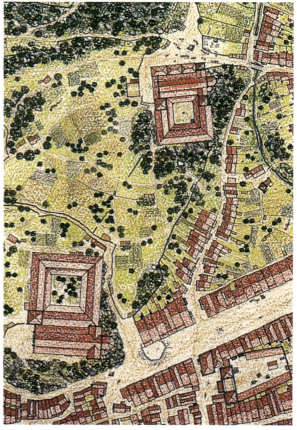

Ao lado: Conventos de S. Francisco e S. Domingos (Mapa Medieval da Cidade do Porto em 1500)
Em baixo: Tramo existente da muralha gótica na zona do Convento de Santa Clara

Conflitos

A cobiça também se apresenta durante todo este período sob a forma de permanentes conflitos entre poderes religiosos, reais, nobres e burgueses, aos quais assiste um povo desprotegido que também se agiganta em tumultos esporádicos. Contudo, estes episódios acabam por constituir situações catalisadoras do desenvolvimento urbano.

Judiaria

A cidade amuralhada também protege a importante comunidade judaica, com óbvias ligações ao renovado crescimento mercantil e comercial, definindo um lugar próprio para a sua nova judiaria no Monte do Olival em 1386.

Procissão

Desde cedo, a Procissão do Corpo de Deus, enquanto representação espiritual e sociológica da comunidade, passa anualmente num percurso de ruas engalanadas, onde se configura uma hierarquização simbólica, mas afirmativa, de toda a sociedade, incluindo de um grande número de mesteirais.

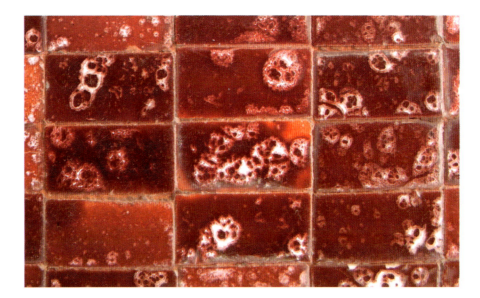

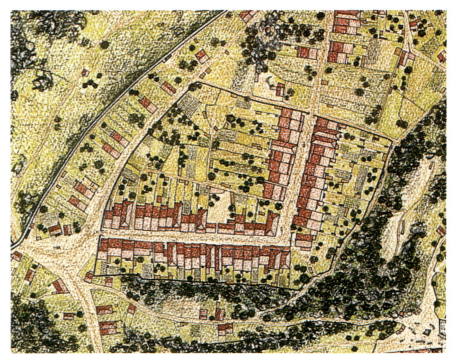

Em cima: Decoração alegórica do texto «Conflitos» – ladrilhos cerâmicos dos anos 60 do século XX
Em baixo: Pormenor da Judiaria do Olival, actuais Ruas de S. Miguel e de S. Bento da Vitória (Mapa Medieval da Cidade do Porto em 1500)

Contactos

A localização estratégica da cidade e o predomínio sobre a envolvente territorial determina o estabelecimento neste local de afluxos comerciais e contactos mercantis, preferencialmente com o Centro-Norte atlântico.

A troca de produtos era vantajosa para ambas as partes pelo que o estabelecimento de fortes vínculos comerciais e rotas marítimas até à zona Hanseática logo se consubstancia em privilégios e salvos condutos. A assinatura de vários tratados comerciais tem o seu ponto mais alto quando o mercador portuense Afonso Martins (Alho) foi eleito procurador para celebrar um contrato de comércio e pesca (com segurança de pessoas, carga e navios) com o rei de Inglaterra, Eduardo III.

Posteriormente, no período áureo das Descobertas, acentuam-se as relações e a fixação de grupos de portugueses em vários países europeus que consolidam feitorias constituídas (geralmente) por emigrantes judeus.

Fragmentos Cerâmicos (séculos XIII – XIV) encontrados em escavações arqueológicas na Cidade do Porto, mostrando através da sua proveniência as ligações comerciais com o Centro-Norte europeu (AHMP)

Decoração alegórica do texto «Contactos» – pormenor cerâmico dos anos 60 do século XX

Mesteirais

Os arruamentos passam a ser reconhecidos pelo mister maioritário que aí se pratica.

Antes de se converter em princípio de obrigatoriedade com os Regimentos determinados pelas Câmaras para uma maior formusura e nobreza das cidades, este processo de instalação económica por mister começa por ser norma habitual dos próprios artífices. O sistema contribui também para uma eficiente fiscalização por parte dos almotacés e para a recolha de impostos que a quase todos se obrigava.

Juntando-se na mesma rua, os mesteirais de cada ofício sentiam-se mais protegidos contra eventuais violências e abusos, vigiando-se mutuamente na qualidade e quantidade dos produtos, preços por que eram vendidos e métodos de atrair fregueses. Esta coesão de grupo ganha voz e poder na defesa dos seus interesses, corporações e confrarias e, principalmente, através dos seus representantes na Casa dos Vinte e Quatro.

Toponímia

Numa época em que a toponímia não existia inscrita nas esquinas dos arruamentos, os zonamentos por ofícios funcionavam como um processo toponímico verbal, tornando mais fácil a procura de clientela. Mais tarde, com o exponencial crescimento urbano, começa a passar para um código inscrito nos documentos e na estrutura viária.

Adivinham-se os cheiros e ruídos de alguns ofícios que caracterizaram as ruas dos Pelames, da Bainharia, Ferraria, Cordoaria, Sapataria, dos Canastreiros, Bacalhoeiros, Trapeiros, Caldeireiros, da Ourivesaria, entre outras que se perderam nas ausências de informação iconográfica.

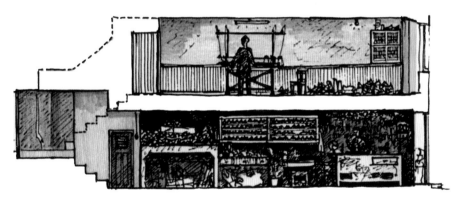

Em cima: Loja do Boticário (*Os Jogos das Trocas*, F. Braudel, pág. 56)
Em baixo: Pormenor interior da antiga Sapataria Pessoa, Rua de Santo Ildefonso, 224

Oficina de cutileiro (Codex de Baltazar Behem – *Os Jogos das Trocas*, F. Braudel, pág. 260). Como em muitas oficinas existentes na urbe portuense, o ambiente de arrumação indistinta proporcionava igualmente espaços de grande adaptabilidade a novas funções que o mercado exigisse

As zonas comerciais da época medieval são facilmente identificáveis pela sucessão de tabuleiros e alpendres que trazem o seu negócio para os arruamentos (*As Estruturas do Quotidiano*, F. Braudel, pág. 387)

Mestre-artesão-aprendiz

É neste contexto que ganha significado a intemporal trilogia Mestre-Artesão-Aprendiz, onde os segredos da profissão perpassam gerações, aperfeiçoando especializações ao nível da arte (qualidade de serviço), as quais, quando acompanhadas de valores de dignidade humana, são muitas vezes determinantes no reconhecimento e ascensão económica e social.

Tipologia arquitectónica

Com o enriquecimento de um número considerável de burgueses, a nobre tipologia arquitectónica das torres irá propagar-se pelas principais artérias citadinas. No entanto, a única imposição régia (várias vezes exigida) não permitia estabelecer um remate superior de merlões que as tornasse demasiado semelhantes a uma tipologia reservada aos nobres e bispos.

Procurando reconstituir a tipologia arquitectónica corrente e usando apenas os ofícios que se adaptam ao estreito lote medieval (com uma média de três a quatro metros de frente urbana e uma profundidade variável, mas tendencialmente comprida), imagina-se que o pequeno volume teria uma zona posterior de armazém e de oficina-produção (com forja, forno ou outro equipamento), à qual corresponderia uma zona anterior de venda (com exposição disseminada sobre um tabuleiro de madeira, pendurada na fachada ou ocupando a via pública) e tendo no andar superior de taipa o espaço habitacional, com salas, alcovas e cozinha.

Feiras e mercados

Ao ambiente oficinal dos arruamentos estreitos correspondem alpendres localizados nos principais largos, servindo como espaços de feiras e mercados, recebendo o dinâmico movimento dos feirantes fixos, dos vendedores ambulantes, almocreves e carrejões, que escoavam os produtos da envolvente regional próxima e, esporadicamente, de paragens mais distantes.

O papel do comércio como factor de atracção dos fluxos populacionais exteriores constitui uma das formas mais reveladoras da importância da urbe portuense, alcançando um predomínio económico sobre os campos povoados de aldeias, mas também de vilas e cidades mais pequenas da sua envolvente territorial.

Concluindo este tempo medieval, sente-se o engrandecimento do valor estratégico da cidade pelo constante tráfego mercantil entre os Guindais e as Taracenas de Miragaia, onde repousam as mercadorias de produtos naturais e manufacturados, ansiando pelo ritmo das cargas e descargas dos barcos que acostavam, oriundos de paragens longínquas e com novidades da cor do céu.

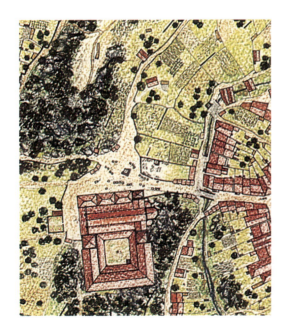

Mapa Medieval da Cidade do Porto em 1500 representando os espaços comerciais mais importantes da cidade. Da esquerda para a direita: Feira e Alpendre de S. Domingos, no actual largo do mesmo nome; Mercado da Ribeira, na actual Praça da Ribeira; a demolida Rua das Tendas, frente à fachada principal da Sé Catedral, e o Largo da Sé

... a minha Rua Fermosa...

O apoio patriótico de toda a cidade burguesa na crise de 1383-1385 ao futuro primeiro Rei da Dinastia de Aviz, D. João I, provoca uma mútua sedução expressa em manifestações de júbilo e afecto no casamento nortenho com D. Filipa de Lencastre e, principalmente, na prolongada estadia no seu Almazem Real para ver o seu filho D. Henrique nascer, em 1394.

Após este feliz acontecimento, o Rei promove uma revolução na mentalidade urbanística dos tempos com a abertura da Rua Nova, que o espanto e admiração dos vindouros torna num paradigma sem paralelo.

Assegurado o fim das quezílias entre os poderes no acordo com o Bispo D. Gil Alma em 1405, a magnitude do novo arruamento permite a concretização das aspirações dos burgueses, ao libertar a cidade baixa comercial do subjugo da cidade alta eclesiástica.

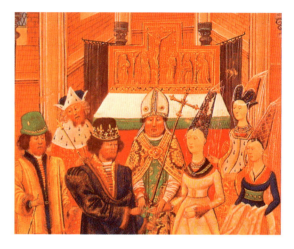

Casamento de D. João I com D. Filipa de Lencastre (in *Chroniques d'Angleterre*, de Jean de Wavrin, vol. III – *História de Portugal*, dir. José Mattoso)

Reconstituição hipotética da Rua Nova em 1500 – vista poente na direcção da cabeceira do Convento de S. Francisco

Rua Nova

A actual Rua do Infante D. Henrique, antiga Rua Nova, começa a ser aberta em 1395, estando sujeita a um plano rigoroso nas definições da sua ampla largura, do extenso comprimento e da nobreza da tipologia arquitectónica. Estas singularidades espaciais que lhe definem o carácter indefinem-lhe o urbanismo, num misto de rua-praça-rossio que se disponibiliza em mercado, bolsa, campo de jogos, torneios, festejos e touradas, como uma grande sala-teatro de apresentações e representações.

Unindo transversalmente os vários núcleos de povoamento e estabelecendo o ponto central no edifício da Alfândega, propicia dois fortíssimos enquadramentos visuais: a nascente, a Rua dos Mercadores e a imensa escarpa da acrópole do Bispo e, a poente, a verticalidade da cabeceira gótica de S. Francisco onde a alta burguesia se eterniza em panteons.

Desta forma, dignifica-se a primeira grande «Baixa» comercial da cidade, a qual irá perdurar até aos alvores do século XVIII na apropriação toponímica, de clássico espírito, dos mercadores ingleses.

Em cima: Mapa Medieval da Cidade do Porto em 1500 – pormenor da Rua Nova, actual Rua do Infante D. Henrique, entre a Rua dos Mercadores e o Convento de S. Francisco

Ao lado: Reconstituição hipotética da Rua Nova em 1500 – vista nascente na direcção da Rua dos Mercadores e morro da Sé Catedral

Mapa de Sebastião Lopes – 1558
(*Mapas do Mundo*, pág. 80)

A ESFERA DOS DESCOBRIMENTOS, EXPANSÃO E ÊXTASE

O Porto dos Mercadores ganha o epíteto «Tripeiro» com o patriótico apoio na preparação de uma poderosa armada que irá conquistar Ceuta em 1415. É o começo de um ciclo de expansão imperial que desbrava caminhos nos Descobrimentos, revestida na fé em Cristo e impondo um ciclo mercantil ao longo dos mares deste planeta esférico de especiarias.

Novas culturas

Os contactos com outras civilizações vão permitir fortes miscigenizações culturais, geradoras de possibilidades estéticas e combinações, numa espiral contínua de cheiros, sabores, brilhos e luxos, criando novos hábitos, modas e mentalidades.

No mesmo quintal passeia o imaginário do humanismo filosófico europeu, o espiritualismo do marfim afro-português, as pinturas flamengas, a estética do mobiliário indo-português e, por detrás de um biombo de Nanbam, três exóticas araras de tropical colorido.

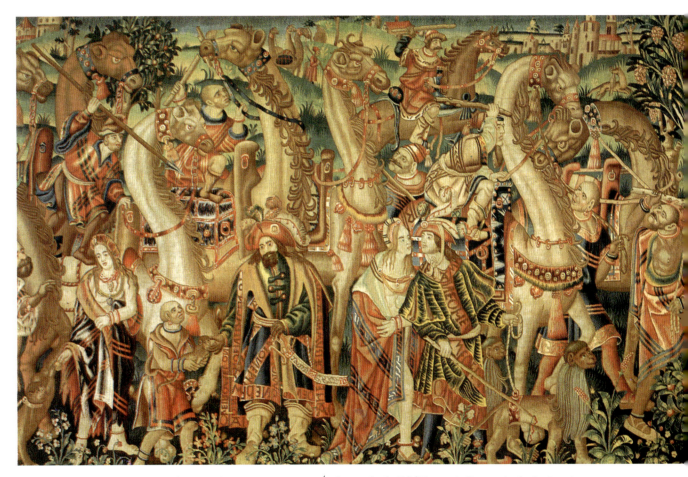

Tapeçaria Flamenga representando mercadores portugueses na Índia no século XVI (Museu do Caramulo, in *Portugal no Mundo*, pág. 26, n.º 3, dir. Luís Albuquerque, Alfa, 1989)

Luxo

Flamengos, ingleses, venezianos, genoveses… expõem e vendem no alpendre de S. Domingos a uma grande burguesia que se ornamenta no fausto das jóias e que exibe escravos passeando sedas. A este desvario de pecados públicos correspondem, posteriormente, leis contra a ostentação nas ruas que irão germinar num estilo «chão» de arquitecturas e em sobriedade nos costumes.

CASA DA RUA DAS FLORES [n.ᵒˢ 150-160]

Reconstituição hipotética de casa quinhentista na Rua das Flores (n.ᵒˢ 150-160) segundo descrição de 1747 (*A Rua das Flores no Século XVI*, de J. Ferrão Afonso). O edifício foi demolido na viragem do século XIX, tendo sido construído o da Papelaria Reis.

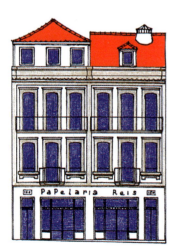

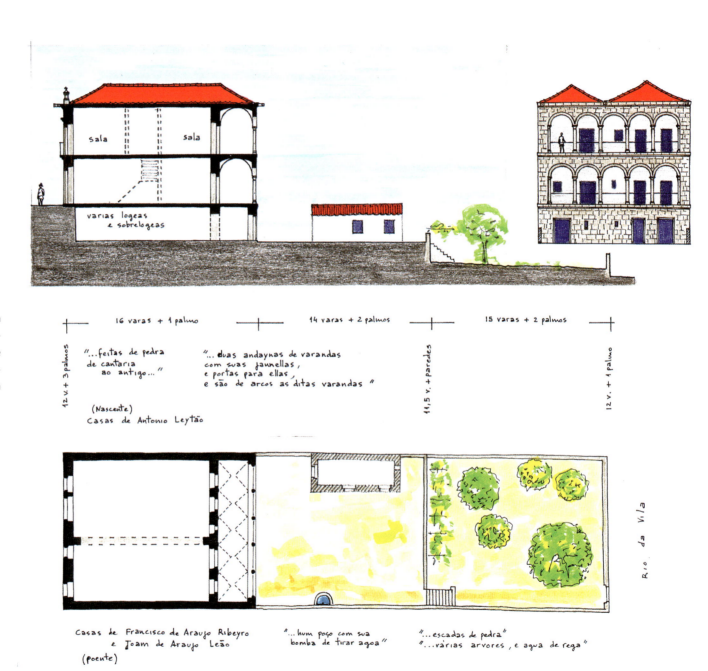

Urbanismo e arquitectura

A estética manuelina de transição é abandonada pela geração lusa informada do Renascimento e pelos mercadores estrangeiros, sendo substituída por arquitecturas de influência clássica com espaços de ócio e prazer nas suas varandas, terraços, jardins e chafarizes.

Será, provavelmente, durante este período do imenso império que grandes edifícios burgueses ocupam vários chãos (lotes), seguindo um projecto único de grande adaptabilidade nos espaços interiores, que, consoante as necessidades, se vão alugando para rendimento. A gestão dos negócios privados ou cargos oferecidos pelo Rei (ou por outras entidades) podiam determinar estadias temporárias ou prolongadas em Goa, Antuérpia, Baía, Cochim, Nagasaki, Funchal, Génova, Mazagão, Ormuz,…, numa vastidão insuperável de cumprir por um povo de apenas um milhão de habitantes.

Influenciado na Itália renascentista, D. Miguel da Silva trouxe o arquitecto privativo Francesco de Cremona e iniciou um processo de iluminação e sacralização do território. Para quem pretendesse aceder ao burgo pela difícil Cantareira-Barra do Douro, a aproximação far-se-ia sequencialmente pela miragem longín-

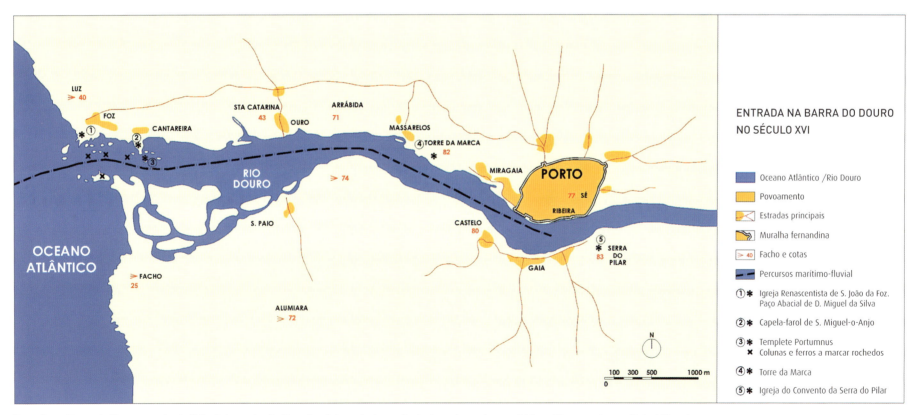

Entrada na Barra do Douro no século XVI – interpretação livre de vários estudos, principalmente os desenvolvidos ultimamente por Rafael Moreira

CASA DA RUA DAS FLORES [N.ᵒˢ 66-70]

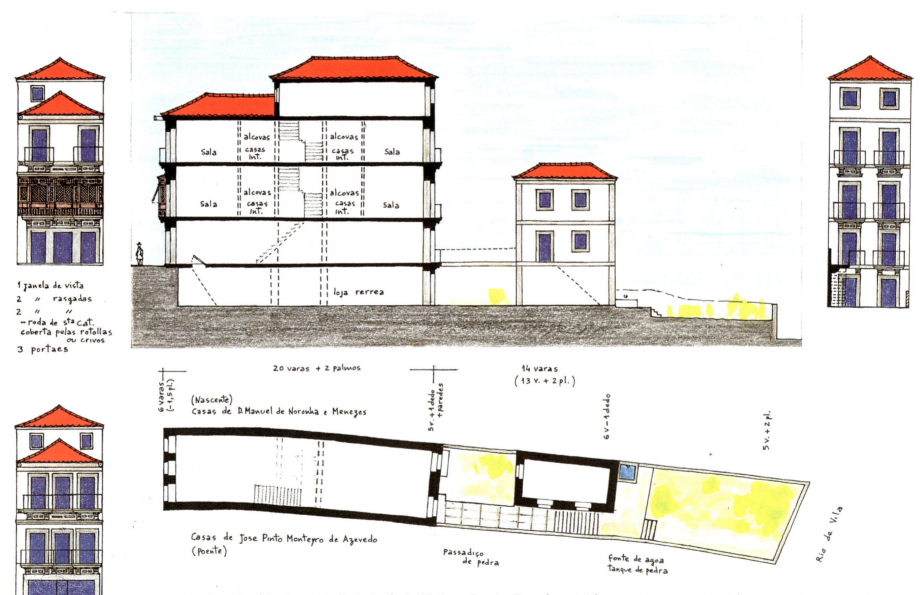

Reconstituição hipotética de casa de finais do século XVI sita na Rua das Flores (n.ᵒˢ 66-70) segundo descrição de 1747 (*A Rua das Flores no Século XVI* de J. Ferrão Afonso). O edifício existe com alterações, destacando-se a retirada no primeiro andar da gelosia de rótulas ou crivos

qua do Monte da Luz, recebido na barra pela cúpula e fausto do Paço de D. Miguel da Silva e igreja anexa, protegido pela capela-farol de S. Miguel-o-Anjo, aceitando a indicação segura do deus romano dos portos (Portumnus) instalado em templete circular num rochedo, seguindo o fogo altivo da Torre da Marca e, finalmente, curvando para a Serra do Pilar, com vénias de agradecimento a Santo Agostinho e suas quatro virtudes platónicas: justiça, sabedoria, fortaleza e temperança.

A cidade cresce em ordenado urbanismo, dignificando os espaços públicos com chafarizes e renovando as portas das muralhas, enobrecendo-se com igrejas, conventos, Misericórdia, hospitais e albergues, manifestando um particular orgulho na Rua das Flores de ilustres famílias (com várias casas de pedraria à romana) e, principalmente, desafiando horizontes na Serra do Pilar e sua esférica rotunda celestial.

Na arquitectura corrente comercial, o lote estreito alarga-se até cerca de seis metros e aumenta a altura entre os pavimentos, ampliando, desta forma, todos os espaços de armazém-oficina-venda e habitação.

Êxtase

As riquezas dos tesouros além-mar são procuradas por um povo inteiro, que, abandonando campos e cidades, originam uma decadência da estrutura económica nacional. Apenas são dinamizadas as actividades estratégicas relacionadas com a protecção militar do império, particularmente a tecnologia naval dos estaleiros, as ferragens e apetrechos, e a construção civil ou militar. No restante, sobrevivem um conjunto de produtos naturais característicos tais como o vinho, o sal, o sumagre, a fruta e o peixe.

Essa decadente passagem dourada que tudo compra e nada produz era uma opulência comprada no exterior centro-europeu que se desenvolvia, revigorando o seu potencial económico, empresarial e, no passo seguinte, militar e conquistador.

Em meados do século XVI, os jesuítas instalam-se no morro da Sé Catedral e afrontam-se as inteligências críticas com o medo das certezas. A expulsão da comu-

Pormenor azulejar dos anos 50 do século XX, existente na galeria exterior do Edifício Atlântico na Praça D. João I

nidade judaica e a perseguição dos cristãos-novos leva o seu poder económico, mercantil e intelectual para outras paragens, já não assistindo ao êxtase decadente da armadura real em névoa de Alcácer-Quibir.

Pintura de Cristóvão Lopes, representando o Rei D. Sebastião – MNAA, Lisboa. O êxtase pasmado do fim incerto

Representação alegórica de uma gaivota expectante sob as torres da Igreja – Colégio da Companhia de Jesus

DO IMPÉRIO FILIPINO...

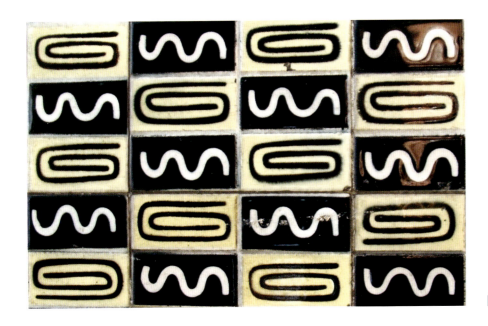

A ausência de um líder com poder de agregar apoios para uma sucessão nacionalista, frente a um poderoso pretendente estrangeiro, torna inevitável a perda da independência para uma União Ibérica, seguindo-se uma longa e desconfortável noite de 60 anos para uma cidade que tinha gerado o nome do país e que sempre tudo havia dado ao crescimento orgulhoso da nação.

Num primeiro momento, a Dinastia Filipina confirma os privilégios dos cidadãos do Porto, mantendo todas as isenções e regalias conquistadas ao longo da História.

Em cima: Fotografia de carácter alegórico para o início do período filipino – pormenor cerâmico dos anos 60 do século XX
À direita: Pormenor da planta redonda de Balck (1813) onde figuram as fiadas arbóreas da antiga Alameda do Olival, espaço designado Praça da Cordoaria (AHMP)

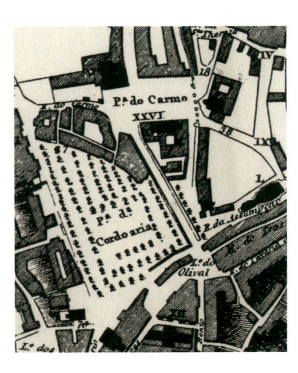

Reorganização da cidade

Apesar de tudo, nesta fase a cidade cresce em população e construções para além da muralha fernandina, havendo uma reorganização das estruturas administrativas. A partir da única freguesia da Sé, criam-se mais três freguesias: Vitória, S. Nicolau e Belmonte.

Há uma particular dignificação eclesiástica e judicial no local da extinta Judiaria do Olival que vê simbolicamente alterado o seu nome, passando a designar-se Vitória, onde são construídos a nova paroquial, o imenso maciço do convento beneditino e a imposição pétrea do Tribunal da Relação.

No arrabalde próximo surgem inúmeros edifícios religiosos que se dedicam a actividades piedosas, assistenciais e de instrução, aparecendo uma novidade nacional oferecida ao deleite dos ócios portuenses: a Alameda do Olival, criada em 1611 e constituída por um amplo espaço público, ritmado de séries de longas fiadas de álamos.

Comércio

Aos espaços tradicionais de comércio no interior da cidade, largos da Sé, S. Domingos, Ribeira e Rua Nova, acrescentam-se agora os dinâmicos afluxos comerciais nos rossios e terreiros existentes junto das principais portas da muralha em Miragaia, Olival, Lóios, Hortas, S. Bento e Batalha.

Em 1588 é instituída a Feira Franca semanal no Largo de S. Domingos, posteriormente transferida, em 1625, para um sítio mais alargado e de menos incómodo urbano, no Rossio de S. Bento das Freiras – Porta de Carros.

A segurança técnica do tráfego marítimo que entrava na difícil barra do Douro passa a ser assegurada com a criação de um corpo de pilotos e defendida pelas fortificações de S. João da Foz e Porta Nova, na entrada ribeirinha da cidade.

Num contexto de insegurança em todas as zonas do império ibérico, acossado por corsários do Norte europeu sobre todas as rotas e portos marítimos, são concretizadas grandes encomendas aos estaleiros existentes no Douro.

Em cima à esquerda: Produtos naturais transaccionados nos rossios e terreiros
Em cima, à direita: Vendedeiras no Largo do Olival (*A Cidade do Porto na Obra do Fotógrafo Alvão*, 1984)
Em baixo, ao lado: O ritmo fabril das taracenas de Miragaia, onde pululam os vários mesteres associados à construção naval (pormenor do *Mapa Medieval da Cidade do Porto em 1500*)

Desastre e Revolta

A derrota da «Armada Invencível» na costa da Inglaterra também afundou a Armada Portuguesa, constituindo um grande revés na afirmação de um poderio que parecia até aí inconquistável. Outras armadas são construídas para defender a costa nacional e todo o imenso império, onde as possessões portuguesas começam a ceder aos ataques de ingleses, franceses e holandeses, com particular prejuízo nas rotas marítimas que asseguravam a vinda de produtos da costa brasileira para o Porto.

O esforço de guerra obriga a constantes tributos sobre a cidade já depauperada no seu dinamismo comercial e mercantil, começando a surgir sucessivas revoltas e tumultos que só terminam com a expulsão espanhola e a aclamação independentista em 1640 do rei português D. João IV.

Nau Portuguesa atacada ao largo de Malaca por navios ingleses e holandeses
(J. Th. De Bry, 1602, *Os Jogos das Trocas*, F. Braudel, pág. 508)

Pormenor da Marca da Bandeirinha edificada para controlo sanitário do tráfego fluvial, existente nas proximidades do Palácio das Sereias

... ATÉ AOS ORGULHOSOS SACRIFÍCIOS DA RESTAURAÇÃO

A sedimentação da Restauração da Monarquia apenas é conseguida com a paz assegurada no Tratado de Lisboa em 1668. Durante este período de sacrifícios, as prioridades estavam todas concentradas na defesa do território e na reorganização administrativa, com importantes obras no edifício da Alfândega do Porto, nos açougues e no Aljube.

A decadência abrupta do Império do Oriente obriga a desviar a estratégia mercantil-comercial para as rotas atlânticas, privilegiando rumos ao Brasil do açúcar, do café, do algodão, dos couros, das madeiras e do cacau.

Através da institucionalização de uma política de alianças e contratos com as potências marítimas da época – Grã-Bretanha e Holanda –, também esse monopólio mercantil passa para os estrangeiros. Contudo, sobrevive uma importante soberania sobre um (quase) continente rico de oportunidades.

Perfil da guarita do Forte seiscentista de S. Francisco Xavier (Castelo do Queijo), integrada num vasto conjunto de sentinelas ao longo da costa marítima, construídas para assegurar a independência durante o período da Restauração

Pormenor escultórico que acompanha o portal do Palácio das Sereias

Detalhe de uma natureza-morta pintada por Josefa de Óbidos no século XVII (*História de Portugal*, 4º volume, pág. 446, dir. J. Mattoso)

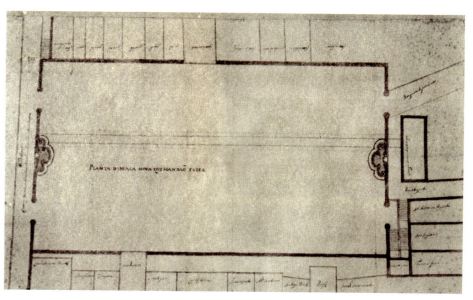

Projecto da Praça Nova (1687) que se localizaria na zona intramuros sobre o Rio de Vila (*Quatro Fases da Urbanização do Porto no Século XVIII*, Mandroux, França, 1984)

Vinho e estrangeiros

O Vinho do Porto começa a adquirir uma interessante procura internacional, estabelecendo-se as primeiras companhias estrangeiras a partir do século XVII. Apesar de prejudicial a um tímido processo de industrialização que ocorria, o Tratado de Methuen assinado em 1703 é o factor mais decisivo no desenvolvimento comercial da cidade e região envolvente, passando o Vinho do Porto a constituir um símbolo de atracção económica.

As dinâmicas comunidades de estrangeiros começam a ocupar o lugar da extinta comunidade judaica, com um relevo especial para os ingleses que, para além do vinho e do sumagre, também precisavam do algodão brasileiro para alimentar a sua Revolução Industrial Têxtil.

A praça «espanhola»

Os sentimentos antiespanhóis são traduzidos nos códigos estéticos da arquitectura portuguesa que, durante e após o período filipino, se aproximam dos valores em voga nos países europeus em guerra com Espanha.

Vislumbra-se a necessidade de marcar uma época de recuperação do prestígio com um novo espaço urbanístico representativo do orgulho da cidade do Porto. Curiosamente, o projecto apresentado filia-se na influência espanhola de construir praças rectangulares semifechadas, rodeadas por construções uniformes com marcações pontuais de elementos arquitectónicos. Estes espaços procuram o original significado greco-romano de «plateia», onde tranquilamente se está, mais do que a génese usual provocada pelos cruzamentos de intensos afluxos populacionais.

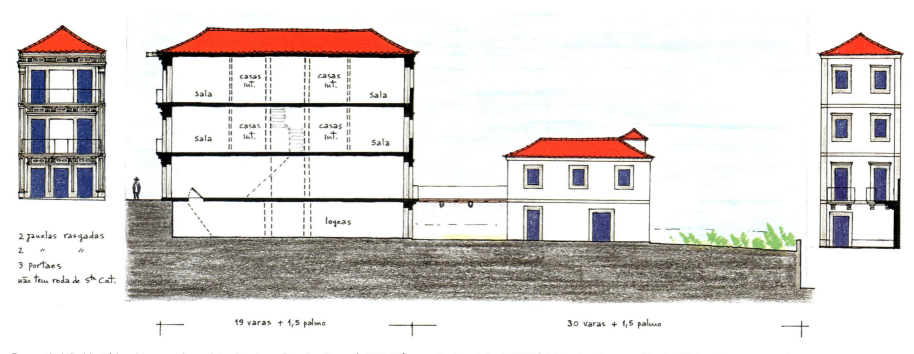

Reconstituição hipotética de casa seiscentista situada na Rua das Flores (n.ºs 72-76) segundo descrição de 1747 (*A Rua das Flores no Século XVI*, de J. Ferrão Afonso)

Tipologia comum

O projecto datado de 1687 estava localizado sobre o Rio de Vila, junto da Ponte Nova, e configurava uma grande praça rectangular caracterizada por ter, nos dois lados mais curtos, duas generosas entradas ladeando um tanque de água de prospecto barroco.

Caso tivesse sido concretizado, o projecto iria constituir, seguramente, um dos espaços de maior dignidade comercial da cidade. Mas o tempo era ainda instável, e, com o começo da Guerra da Sucessão de Espanha, o projecto é abandonado como uma semente que, alterada, irá germinar mais tarde na zona das Hortas do Bispo.

Com antecedentes no século XVI, será ao longo do século XVII que se cristaliza uma das formas arquitectónicas mais características da imagem urbana. Os edifícios comuns possuíam frontaria de granito de dois ou três pisos, tendo duas ou três aberturas no piso térreo comercial e, nos pisos superiores, apenas duas janelas rasgadas (portas) com varandas pouco salientes apoiadas em cachorros de caneluras diversas. No remate superior dos edifícios inseria-se uma cornija apoiada por cachorros e gárgulas-canhões nas extremidades.

O esquema funcional interior permanece idêntico, apenas a altura dos pisos tende a decrescer por ser mais económico e o império mercantil mais pequeno.

OURO E DIAMANTES CAEM DO CÉU

Perdido o ciclo imperial das especiarias orientais, a descoberta de minas de ouro, prata, diamantes e outras pedras preciosas no Brasil gera um novo ciclo económico.

As cidades portuárias portuguesas animam-se no frémito da actividade mercantil e revigoram com o intercâmbio multicultural transoceânico. O país inteiro vive num teatro pasmado de opulência e a cidade do Porto cresce e dignifica-se na imagem barroca de um grande número de palácios e igrejas.

Nos principais rossios, largos e cruzamentos estratégicos por onde passam os ritmos comerciais, os edifícios são transformados ou construídos de novo, constituindo-se como indicadores dessa extravagância dourada.

Aos novos frontispícios das igrejas e interiores de sumptuosa talha correspondem dignificações nos espaços de encontro e mercancia dos alpendres de S. Domingos e da Sé Catedral, que se transforma em galilé e procura o perfil da cidade crescente.

Será precisamente sobre este perfil urbanístico que se irá transcender o génio humano e o orgulho dos portuenses numa cidade que economicamente se afirma, consubstanciada no redifinir geométrico da acrópole bispal e na verticalidade dominadora de horizontes da Torre dos Clérigos.

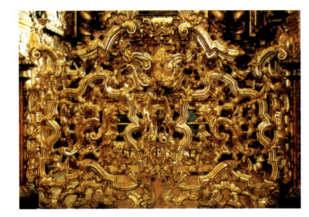

Em cima: Magnífico trabalho do entalhador Francisco Pereira Campanhã no gradeado que protege o retábulo de N. S. da Soledade, existente na Igreja de S. Francisco
Em baixo: Galilé lateral na Sé Catedral do Porto
Ao lado: Enquadramento de parte da fachada barroca da Igreja da Misericórdia

Novo quotidiano

Com antecedentes nas Descobertas, mas prejudicado pelas crises armadas da Europa do século XVII, será no século XVIII que o mundo definitivamente libertará o cérebro para as dúvidas do desconhecido, alterando-se radicalmente os costumes e os *habitats* rural e urbano.

A miscigenação cultural dos novos produtos que induzem novos hábitos, novos utensílios, novas formas de cultivo e novas rotas de produção e comércio altera o quotidiano nos gestos de consumo, onde a presença de açúcar, tabaco, café, chá, milho, vinho, batata, bacalhau,… garfo, colher, copo, guardanapo,… cadeira, mesa, armário, candelabro,… secretária, contador, livros, roupas,… banquetes e modas começa a desenhar um quadro específico no comércio característico de cada país.

Em cima: A dignificação do Morro da Vitória e o novo perfil da cidade crescente com a altiva Torre dos Clérigos
Em baixo: Miscelânea de sacarias com produtos de várias origens

O movimento portuário nas duas margens do rio Douro numa pintura de Batty do início de século XIX (gravura de R. Brandard, 1829, *Edição Comemorativa da Inauguração da Ponte da Arrábida*, Porto, 1993, CMP)

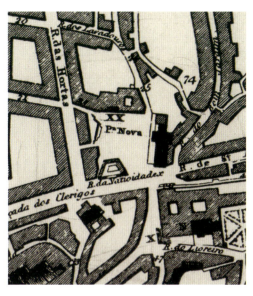

A Praça Nova, actualmente Praça da Liberdade, antes das demolições para concretizar a abertura da Avenida dos Aliados (*A Cidade do Porto na Obra do Fotógrafo Alvão*, 1984)

Pormenor da planta de 1813 (Balck) localizando a Praça Nova (AHMP)

Port-Wine

Neste período consolida-se a marca Port-Wine no panorama internacional. A cidade cheira a perfume de Baco nas centenas de tabernas, nas casas de pobres e ricos, nacionais e estrangeiros, na sinfonia das tarefas diárias nas duas margens ribeirinhas, recebendo rabelos cheios de pipas vindos do Alto Douro, descarregando para os armazéns, e no ritmo inverso dos armazéns para a fábula dos grandes veleiros que partem para continentes longínquos.

Este era o verdadeito pulsar da cidade, a Alma.

Praça Nova

A semente da praça «espanhola» seiscentista germina num gigantesco projecto na zona das Hortas do Bispo, do qual apenas um quarto do tamanho inicial se concretizará. Esta praça localizada extramuros, entre o Largo de S. Bento e o Largo dos Lóios, foi perdendo as características de origem, transformando-se apenas numa praça ordenando o anterior Terreiro da Arca da Natividade.

Contudo, a sua estratégica posição inserida no desenvolvimento urbano exponencial do século XVIII irá torná-la no futuro centro cívico da Capital do Norte.

TERRAMOTO E DESPOTISMO ILUMINADO

Enrugamento num tronco de árvore alegoricamente simulando um terramoto

O terramoto de Lisboa de 1755 cai sobre os pecados do ouro e avisa o mundo que as pedras e os homens são como esvoaçantes borboletas inseguras. O grande desastre vê encher as igrejas e construir outras invocações sob a protecção divina, numa cidade do Porto poupada e agradecida.

Nesta difícil conjuntura, agravada pelo esgotamento mineiro do Brasil, o Marquês de Pombal força um renascimento: inicia um telúrico processo de reconstrução de uma sociedade perdida, reorganiza todo o sistema administrativo, comercial e industrial, reconfigura o ensino e expulsa o poder instalado dos jesuítas.

Em 1756 é criada a Real Companhia Geral da Agricultura das Vinhas do Alto Douro, com extraordinários privilégios. Define-se uma Área Demarcada no Douro e são impostas novas taxas sobre o vinho, dando origem a violentos motins, reprimidos de forma hercúlea.

Projecto de Francisco Pinheiro da Cunha (1776) representando as fachadas de conjunto do primeiro tramo poente da Rua de Santa Catarina (*Porto – Projectar a Cidade*, n.º 2, AHMP)

Urbanismo

Neste contexto de conflito, João de Almada e Melo é empossado Governador de Armas do Porto, acumulando depois outras responsabilidades, principalmente na Junta de Obras Públicas (1763), que está na origem de uma profunda renovação urbana das infra-estruturas viárias, portuárias e militares.

A sua acção pretende racionalizar o espaço urbano existente e prespectivar o futuro crescimento, segundo ideais de aformoseamento do prospecto público, impondo alinhamentos, rectificações, alargamentos, passeios, iluminação (em situações de excepção) e definindo alçados de conjunto sujeitos à ordem e regularidade para transmitir uma estética da ilusão urbana comum, que esconde a parcela urbana privada.

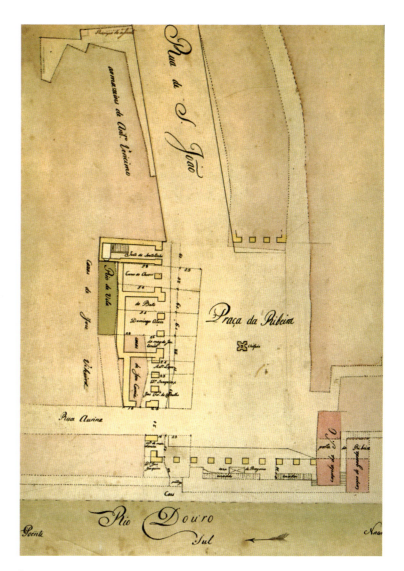

À direita: Primeiro projecto urbanístico de renovação da Praça da Ribeira, mantendo o enquadramento sul da muralha e porta com a capela de N. S.ʳᵃ do Ó (*Porto – Projectar a Cidade*, n.º 2, AHMP)

CAPÍTULO 7. TERRAMOTO E DESPOTISMO ILUMINADO

Com a morte do Governador em 1786, o seu filho Francisco herda as responsabilidades e, com um espírito diferente, abre a cidade a uma radial expansão ordenada, demolindo as muralhas, libertando espaço para novos equipamentos públicos, assistindo-se a uma consolidação do tecido económico, comercial e populacional.

Influências

A estética arquitectónica bebe diversas influências: algum tardo-barroco, algum pombalino e uma notória influência particular da comunidade inglesa neopalladiana na simbólica Feitoria, na emblemática Rua de S. João e na racional Praça e Muro da Ribeira. Esta reformulação ribeirinha, inspirada no Adelphi Terrace londrino (1768), aproveita a muralha existente no desenho do embasamento e ordena uma sequência de arcos adaptados à actividade comercial e mercantil, conseguindo um surpreendente efeito na recepção dos ritmos fluviais mercantis.

Outra ênfase urbana é-nos oferecida pelas ruas de Santo António e dos Clérigos que, descendo os calvários declivosos até à Praça Nova, valorizam cenograficamente o pulsar comercial central do novo coração da cidade.

Social

A vitalidade comercial e social das gentes conquista o tempo, navegando nos passeios entre as «fúrias do rio» nocturnas ou nos cais de alamedas e assentos, animando tertúlias e jogos nos botequins, nos miradouros das Virtudes e Fontainhas, procurando diferentes feiras em cada praça, assistindo a musicais, teatros, comédias ou óperas e esperando ver concluída a Ponte das Barcas em 1807.

Em cima: A elegância robusta do edifício da Feitoria Inglesa na esquina da Rua do Infante D. Henrique com a Rua de S. João
Em baixo: Desenho executado por Vila-Nova representando a renovação da frente ribeirinha com as arcarias impostas sobre a anterior muralha (*Edifícios do Porto em 1833*, BPMP, 1987)

CAPÍTULO 7. TERRAMOTO E DESPOTISMO ILUMINADO | 49

Pormenores escultóricos no muro-terraço do edifício n.º 14 do Passeio das Virtudes

TEMPOS DE CAOS, INSEGURANÇA E NOVOS IDEAIS

A partir da independência da colónia inglesa da América (E.U.A.) e, posteriormente, com a Revolução Francesa em 1789, depondo o Absolutismo Real, afirmam-se novos ideais que irão inspirar o mundo oitocentista nos caminhos do liberalismo.

Em cima, à esquerda: Grupo escultórico inferior pertencente ao monumento dos Heróis da Guerra Peninsular, localizado no centro da Rotunda da Boavista (Praça Mouzinho de Albuquerque)
Em cima: Pormenor do topo do mesmo monumento com o Leão (símbolo dos Aliados) esmagando a Águia Napoleónica
Ao lado: Cerâmicas partidas como alegoria ao caos do início do século XIX português

Caos

O poderio militar napoleónico espalha-se pela Europa, tentando também conquistar as zonas económicas de influência britânica.

Numa difícil conjuntura política global, Portugal vê quebrado os ritmos evolutivos da paz, com o prenúncio da primeira invasão napoleónica (1807) que logo obriga à fuga do Rei e da Nobreza para a colónia brasileira, deixando órfão o povo metropolitano ainda não esquecido do período filipino.

O apoio militar britânico é fundamental para rechaçar as três Invasões Francesas entre 1807 e 1810, ficando o ano de 1809 tristemente recordado pelo aparatoso Desastre da Ponte das Barcas, onde uma multidão em fuga descoordenada desfalece nas águas do rio Douro.

Depois da libertação, o comando militar do país mantém-se abusivamente sob a alçada inglesa, transformando o júbilo da libertação em repúdio dos excessos da autoridade estrangeira e clamando pelo regresso do rei D. João VI do Brasil, o que só viria a acontecer em 1821.

Absolutismo ou liberalismo

O caos prolonga-se após o triunfo dos liberais em 1820 e o juramento real sobre a Constituição de 1822, iniciando-se uma Monarquia Constitucional insegura que logo assiste à independência do Brasil, com graves reflexos político-económicos sobre as ruínas da estrutura económica do país.

O país afunda-se numa crise profunda sujeita a ideais antagónicos, no confronto entre o passado absoluto ou o futuro liberal, exponenciado pelas desavenças da legalidade sucessória do trono entre os irmãos D. Miguel e D. Pedro, que se irão radicalizar em guerra civil particularmente fraticida no Cerco do Porto de 1832-33.

Estátua equestre de D. Pedro IV situada na Praça da Liberdade, destacando-se a mão que segura a Carta Constitucional

Antes e depois, a insegurança geral reflectia-se num activismo político partidarizado em facções moderadas ou radicais, traduzido num tempo anárquico de motins, revoltas, escaramuças, revoluções, contra-revoluções, execuções, enforcamentos, fuzilamentos, prisões, exílios e desterros. Apesar de constituírem um importante factor no processo de transformação das convicções político-sociais da sociedade portuguesa, a permanência destas situações ao longo de décadas-gerações determina um empobrecimento geral da economia num país em transe.

Fervor legislativo

A geração exilada na Europa evoluída desenvolve intensos contactos políticos, científicos e culturais, regressando com a vitória liberal e assumindo um protagonismo político-legislativo nos sucessivos governos.

Ainda durante a Guerra Civil do Porto, cabe a Mousinho da Silveira um papel de destaque nas reformas que alteram o sistema judiciário, na abolição dos forais e dos seus tributos, suprimindo os dízimos e liberalizando o comércio vinícola, esvaziando assim os privilégios da Companhia das Vinhas do Alto Douro.

Entre outros protagonistas importantes destacam-se Fernandes Tomás, os irmãos Passos, Ferreira Borges (e o seu Código Comercial de 1833) e Joaquim António de Aguiar, que determina a extinção das Ordens Religiosas e a nacionalização dos seus bens, os quais serão vendidos para cobrir uma galopante dívida pública a uma nova burguesia atenta ao mercado de especulação imobiliária.

Em cima: Mercado do Anjo (*O Porto de Outros Tempos*, BPMP)
Em baixo: Edifício da Academia Politécnica fundado em 1837 na zona da Cordoaria

Antiga fachada do Banco Comercial do Porto, fundado em 1835,
onde actualmente funciona o Instituto do Vinho do Porto

A cidade liberal

A cidade cresce moderadamente até cerca de 60 000 habitantes, em 1840, verificando-se uma consolidação da aglomeração urbana sobre o anterior planeamento almadino.

Aproveitando as estruturas da linha de barreiras do Cerco do Porto, amplia-se o controlo fiscal dos produtos sobre as freguesias rurais e aumenta o território concelhio através da anexação das freguesias de Campanhã, Paranhos, Lordelo e Foz do Douro.

A gestão urbanística desenvolve um processo de dignificação cívica da cidade e dos munícipes, apoiada num Código de Posturas que tenta regulamentar o espaço público e controlar as actividades económicas, promovendo a salubridade e higiene públicas, o abastecimento de água e géneros alimentares, a iluminação pública, as actividades educativas e culturais e uma preocupação com o emprazamento da envolvente rural para deslocalizar indústrias e oficinas insalubres ou para fomentar o mercado imobiliário, segundo uma estrutura viária rectificada, alargada e aformoseada no sentido liberal.

Geralmente, os grandes ideais não são exequíveis com parcos orçamentos, sendo abandonados os grandiosos projectos de uma nova frente urbana ribeirinha, assim como a conclusão dos gigantescos edifícios do Hospital de Santo António e do novo Seminário do Prado (actual Edifício dos Órfãos), vincando-se ainda uma incapacidade crescente na regularização das fachadas urbanas conforme as Plantas Gerais das ruas propostas no período iluminista.

Apesar de tudo, são criados vários equipamentos públicos como os jardins Botânico e de S. Lázaro, os Cemitérios, a Academia de Belas-Artes, o Conservatório de Artes e Ofícios, o Liceu Central, o Banco, o Asilo de Beneficência, o Matadouro, os mercados do Anjo e do Bolhão, o Teatro, o Museu e a Biblioteca.

O novo símbolo da burguesia comercial

A conjuntura de crise induz ao apelo da união burguesa, concretizada em 1834 com a fundação da Associação Comercial, instalada no extinto Convento de S. Francisco, transformando-o sucessivamente (a partir de 1842) no seu orgulhoso Palácio da Bolsa que espelha os ritmos das concretizações da evolução urbanística da cidade.

Este gesto afirmativo de uma burguesia mercantil que especula uma nova cidade nas cercas conventuais mostra-se ao grande centro de negócios da Rua Nova dos Ingleses, promove a produção e comércio agrícolas, inicia um imparável processo industrial, revigora no cais fluvial até à Foz, regista a ponte pênsil na modernidade fotográfica, imortaliza em estátuas o movimento liberal e, dinamicamente, anseia o futurismo de uma nova alfândega, a resolução do problema da Barra do Douro e a revolução dos transportes, que aproximarão ideias, pessoas e bens.

À esquerda: Zona central da fachada do Palácio da Bolsa
Página seguinte: Fotografia do séc. XIX mostrando a muralha fluvial na zona da Reboleira e a Ponte Pênsil unindo as duas margens (*A Cidade do Porto na Obra do Fotógrafo Alvão*, 1984)

CAPÍTULO 8. TEMPOS DE CAOS, INSEGURANÇA E NOVOS IDEAIS | 55

Quotidiano comercial

O forasteiro lisboeta que chega célere no barco a vapor procura os principais espaços públicos trepidantes nos ruidosos movimentos de cavaleiros, seges, liteiras, berlindas, omnibus e carros de bois, desviando-se do comércio itinerante de regateiras, vendilhões e bufarinheiros enquadrado pelo comércio fixo que estende os produtos pelos passeios.

As dinâmicas cenográficas das várias feiras e mercados especializados em determinados produtos vão, de algum modo, consolidar zonamentos comerciais sedentários, identificando zonas de cestarias, mobiliário, louças, panos, mercearias, salsicharias, camisarias, peixarias, confeitarias, entre outros, numa variedade única que irá polarizar a cidade como capital do comércio.

À esquerda: A Feira do Pão vista da actual Praça Gomes Teixeira
Em cima: Feira da Cordoaria (Colecção de Gravuras Portuguesas – Porto e Douro)
Ao lado: Aspecto de tertúlia no interior de um Café

Alguns «pasmatórios» encostados coexistem com uma opinião pública politizada que procura os inúmeros folhetos, jornais, pasquins e caricaturas disponibilizados pelos livreiros e tipografias em expansão, dinamizando as conversas no quotidiano privado ou público dos cafés e botequins.

Tipologia arquitectónica

Com base na estrutura almadina de lote com seis ou sete metros de frente e uma profundidade construída até cerca de dezasseis metros, a grande alteração verifica-se nas fachadas que passam de sequências espaçadas de dois vãos por piso para os três vãos, com uma repercussão evidente na imagem urbana onde as fenestrações, com ou sem varandas, impõem uma verticalidade característica que, associada ao declive dos arruamentos, provocam ritmos dinâmicos de grande efeito estético-arquitectónico.

O intenção perseguida é a do aumento de luz para o interior, também evidente nas grandes clarabóias que iluminam a escada central e as adjacentes alcovas com janelas interiores.

A importância da luz para o rés-do-chão comercial irá estar na base de todas as intervenções arquitectónicas até aos dias de hoje, alterando de forma radical a percepção dos arruamentos pelo transeunte.

O ritmo das fenestrações oitocentistas acompanhando os declives dos arruamentos

Antecedentes da Regeneração

Na década de 40 do século XIX sobressai o nome de Costa Cabral tentando impor a ordem e a hierarquia, apoiando-se numa nova burguesia ávida dos monopólios concedidos pelo governo, esperando que a concentração de capitais fomente o progresso económico e uma desejada revolução dos transportes.

O ambiente revolucionário mantém-se perante as imposições legislativas (sobre novas fiscalidades, actividades profissionais e imprensa) e cresce perante a imposição de novas práticas sobre velhas tradições (como a proibição dos enterramentos nas igrejas), originando uma avalanche popular que se revê no simbolismo de uma Maria da Fonte e irá desaguar na queda de um governo diferente, mas abrindo caminhos para a pacificação através do Movimento Regenerador e de uma assumida estratégia económica do território.

Em cima: Revolta popular da Maria da Fonte (*Iconografia Histórica Portuense*, Pedro Vitorino)
Em baixo: Pórtico do cemitério do Bonfim e pormenor do gradeamento

REGENERAÇÃO, EXPANSÃO E MODERNIDADE

A partir de meados do século XIX, o Movimento Regenerador e o protagonismo informado de Fontes Pereira de Melo assumem o fascínio pela evolução dos países modernos com a sua riqueza económica, comercial, industrial, cultural e científica, alicerçada na melhoria pública dos equipamentos e infra-estruturas de circulação.
O apoio económico e especulativo da burguesia portuense é determinante para a concretização de um conjunto notável de iniciativas e melhoramentos infra-estruturais, vitais para a economia urbana e regional.

Caminho-de-ferro

O símbolo do progresso é o caminho-de-ferro que desenvolve um imparável ritmo de realização. Em 1864, o percurso desde a capital chega até Vila Nova de Gaia, passando o rio Douro na fantástica Ponte de Maria Pia (em 1877) para chegar à Estação de Campanhã, partindo em consecutivas ligações à nova Alfândega das mercadorias, às linhas regionais do Douro, Minho, Póvoa e Leixões, até chegar à Estação Central de S. Bento em 1896.

A Ponte de D. Maria (*A Cidade do Porto na Obra do Fotógrafo Alvão*, 1984)

Fluxos de pessoas e dinheiro

Estas realizações exponenciam os fluxos migratórios para uma cidade que cresce até aos 170 000 habitantes em 1900, disponibilizando excedentes de mão-de-obra para um crescente processo de industrialização e uma revigorada actividade comercial. É também o caminho-de-ferro que desertifica um interior empobrecido nas crises do oídio e filoxera, para além da insegurança das flutuações dos mercados internacionais que absorvem os produtos portugueses.

A direcção prioritária é a miragem da riqueza brasileira e a esperança de um afortunado retorno que constrói palacetes e jardins, se estabelece na actividade comercial ou industrial, no risco especulativo e, finalmente, se dignifica em filantropias.

As remessas dos emigrantes brasileiros introduzem fluxos de riqueza que são encaminhados para um mercado bancário concorrencial, diversificado em bancos, instituições de crédito e companhias de seguros, que num primeiro momento ultrapassa a grave crise financeira de 1876, mas se precipita na «salamancada» e na recessão económica do fim do século.

Novidades técnicas e acessibilidades

Num curto espaço temporal a cidade ilumina-se a gás, encurta distâncias e sorri perante as novidades da evolução dos transportes públicos e privados, do serviço de mala-posta até Lisboa, nos barcos a vapor que levam o gado até à Inglaterra, nas ligações do «americano» de tracção animal sobre carris (depois alterado pela novidade eléctrica), no uso do telégrafo até à chegada do telefone em 1882 e nos primeiros veículos motorizados (motociclos e triciclos), destacando-se a chegada do primeiro automóvel em 1895, para o Conde de Avilez.

À esquerda: O automóvel Panhard Levassor (*O Ocidente*, 1897) do Conde de Avilez
Em cima: Exemplo de publicidade na viragem dos séculos XIX-XX de uma carreira para a América do Sul

A revolução urbana

A cidade antiga sofre uma profunda reforma através da destruição de amplas zonas com uma densidade urbana e demográfica elevada (focos insalubres de doenças e epidemias), melhorando o sistema viário entre a zona ribeirinha da imponente alfândega (1861) e o centro cívico com a nova estátua equestre de D. Pedro.

A estrutura viária sequencial desenvolve-se ao longo da Rua Nova da Alfândega, dignificando o edifício da Bolsa com uma praça ajardinada (1885) e inflectindo para norte na larga Rua de Mousinho da Silveira, que encobre o fétido Rio da Vila (1870-72), até aos largos de S. Bento e dos Lóios.

Substituindo a ponte pênsil preexistente, em 1886 é construída a Ponte de D. Luís I com o seu duplo tabuleiro, dinamizando o urbanismo da zona alta da cidade, que se vai prolongar em construções para norte (Rua de Santa Catarina) e para oriente até à zona de S. Lázaro-Heroísmo-Campanhã-Freixo.

Ao longo desta zona alta verifica-se uma concentração assinalável de serviços para pessoas e mercadorias que chegam à cidade pelas duas pontes, construindo-se espaços de armazenamento, alquilarias e garagens, hospedarias e hotéis, casas de pasto, cafés, teatros e, mais tarde, cinematógrafos.

Zona central comercial

A zona central densifica-se até ao Mercado do Bolhão, configurando em pouco tempo o mais extenso e diversificado pólo comercial de Portugal, destacando-se as ruas dos Clérigos, de Santo António, do Almada, de Sá da Bandeira, de Passos Manuel, Formosa, de Fernandes Tomás e de Santa Catarina, unificando-se ao comércio

Vista do tabuleiro inferior da Ponte de D. Luís I

intenso já existente nos rossios e largos, mas também ao longo das estradas velhas de Viana do Castelo (Rua de Cedofeita), de Braga (Rua Mártires da Liberdade), de Guimarães (Rua do Bonjardim) e de Penafiel (Ruas de Santo Ildefonso e Bonfim).

Boavista – Foz

A cidade também se desenvolve habitacionalmente na direcção ocidental, com melhorias na estrada velha da Foz-Matosinhos (Ruas do Campo Alegre e Serralves), com o prolongamento da Rua da Boavista (alargada em avenida até ao oceano), marcando um previsível futuro feliz à praça-rotunda da Boavista em 1868.

O núcleo da Foz desenvolve esquemas autónomos de crescimento, aproveitando novas ligações à cidade, o que propicia fluxos temporários na moda dos banhos de mar e potencia uma actividade comercial sazonal. Este espírito cosmopolita transparece nas habitações em forma de *chalet* e nos jardins exóticos das comunidades estrangeiras, logo imitados pela burguesia portuense.

Circunvalação e planeamento

Uma nova «muralha» fiscal é construída na forma de uma estrada dupla desnivelada com postos alfandegários (Circunvalação – 1895), englobando quase todo o espaço do município e anexando as novas freguesias de Ramalde, Aldoar e Nevogilde.

Dentro deste perímetro, a cidade cresce à volta dos antigos núcleos rurais, ao longo das estradas e cruzamentos, segundo a liberal aceitação da especulação imobiliária, concretizada em ruas particulares que evidenciam a falta de uma estratégia geral de planeamento.

Durante o século XIX, a deficiente gestão estratégica do crescimento urbanístico acelerado acusa as carências de uma cartografia esclarecedora. Estas carências só serão anuladas com a conclusão, em 1892, do magnífico trabalho de levan-

Em cima: Postal do início do século XX da Rua de Santa Catarina
Em baixo: A Rua da Senhora da Luz, principal artéria comercial da Foz do Douro

CAPÍTULO 9. REGENERAÇÃO, EXPANSÃO E MODERNIDADE | 63

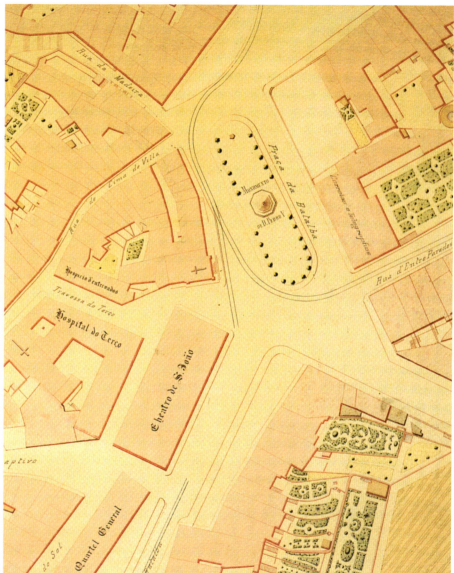

Esquerda: Dois aspectos fotográficos de tramos da «muralha» alfandegária da Circunvalação, localizados na zona Oriental próximo do lugar de Pego Negro
Cima: Pormenor da Praça da Batalha na Carta Topográfica de A. G. Telles Ferreira (1892, AHMP)

tamento cartográfico da equipa do engenheiro A. G. Telles Ferreira, trabalho que, a partir desse momento, se tornará um instrumento fundamental para a análise e evolução urbanística do território.

É perante este contexto de gravíssimos problemas urbanísticos que se enquadram os esforços tardios de resolução do abastecimento de água ao domicílio, do abastecimento de géneros em mercados higienizados, do saneamento, da segurança, dos bombeiros, do tráfego e uma particular preocupação com a habitação operária insalubre nas «ilhas» (do interior dos quarteirões), promovendo-se a criação de bairros operários de iniciativa privada ou pública.

A revolução industrial

O desenvolvimento das infra-estruturas viárias, ferroviárias, fluviais e marítimas promove um crescimento demográfico que estará na base de um surto industrial, alterando o perfil do horizonte citadino, espalhando esguias chaminés fumegantes nas freguesias periféricas ao centro histórico.

Em grande medida, a actividade fabril tem as suas raízes nos diversificados ofícios dos mesteres tradicionais e consequentes especializações geradas pelos novos produtos, potenciados pela experiência mercantil dos Descobrimentos e do império colonial. Esta característica é evidente num grande número de estabelecimentos comerciais que se ampliam no interior dos quarteirões em oficinas modernizadas com pequenos fornos, aglutinando os processos de fabrico, armazenamento e venda comercial.

As grandes unidades industriais procuram os espaços livres associados a algum factor territorial estratégico determinante para o seu processo industrial, desde factores naturais (água) a factores ligados às acessibilidades de entrega de matérias-primas e posterior escoamento do manufacturado, ou, ainda, à proximidade de unidades industriais que proporcionem as fontes energéticas do gás, carvão e, mais tarde, da electricidade.

Em cima: Fábrica de Salgueiros na proximidade da Rua de Antero de Quental e da Rua da Constituição
Em baixo: Oficinas da Bisália na Rua Formosa

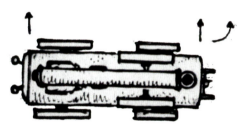

Máquina a vapor locomóvel representada no desenho do estabelecimento Ricon Peres na Rua de 31 de Janeiro

O processo de mecanização industrial, apesar de pouco convicto, logo assegura espaços para a instalação da máquina a vapor, de caldeiras, fornos, motores, chaminés e armazéns de combustíveis.

Predominam as indústrias têxteis algodoeiras que, para além do seu espaço fabril, disponibilizam inúmeros teares manuais para o trabalho domiciliário familiar disseminados pelo arquipélago de «ilhas» operárias, que concentram um terço da população citadina.

As restantes indústrias evidenciam a diversidade mercantil e comercial da história da cidade destacando-se, entre outras, cortumes, lanifícios, chapelaria, calçado, botões, linho e sedas, marcenaria, carpintaria, mobiliário, cordoaria, escovaria, ferrarias, serralharias, cutelarias, tipografias, moagens, refinação do açúcar, conservas de peixe, secas de bacalhau, tabaco, ceras, fósforos, velas, sabões, cortiça, bebidas, cerâmicas, cal, vidro, papel, ourives de ouro e prata, torrefacção de café e a curiosidade de uma fábrica de café sem cafeína.

Estas indústrias são parte do reflexo do comércio diversificado da cidade.

A revolução do ferro

A arquitectura do ferro chega cedo a uma cidade de ferrarias. Estas já transportavam um conjunto significativo de artefactos para o quotidiano e marcavam as fachadas das ruas com sacadas guarnecidas com gradeamentos em ferro, forjado ou fundido, que haviam substituído a madeira das gelosias.

A modificação das consciências passa pela surpresa espantada das grandes realizações construtivas do homem moderno. O valor da simplificação estrutural, acompanhado por qualidades estéticas dignificantes, está implícito no interior da alfândega, nas pontes, nas grandes naves de ferro e vidro das estações, dos mercados, das fábricas e armazéns, dos teatros e cinemas, no claustro da Bolsa transformado em Pátio das Nações coberto ou na alma comercial do interior dos Armazéns Hermínios.

Marca da Fundição de Massarellos numa *devanture* metálica

Fundições

Os antecedentes do saber mesteiral arruado na Ferraria de Cima e Ferraria de Baixo (actuais ruas dos Caldeireiros e Comércio do Porto, respectivamente), para além de outros ofícios espalhados no território que lidavam também com pequenas fundições tradicionais, será, eventualmente, o motivo inspirador que impulsiona a instalação das grandes unidades industriais das fundições. Os grandes empreendimentos públicos em ferro irão contribuir, de forma decisiva, para a afirmação da multiplicidade de usos do material-símbolo da modernidade.

As fundições do Bolhão, de Massarelos, Aliança, Bicalho, Ouro, Vitória, Francos, Trindade, Fradellos, Pinheiro Manso, entre outras, serão responsáveis pela difusão da Revolução do Ferro, baseada na sua adaptabilidade e criatividade na disponibilização de tipos, modelos e múltiplos, transformando o quotidiano dos usos, costumes e ambientes.

Quotidiano do ferro

A representatividade do ferro nos quotidianos é avassaladora no espaço público marcado pelas linhas paralelas dos carris do «americano» e eléctrico, nos chafarizes, estátuas, coretos, quiosques, mictórios, candeeiros, elevadores, balanças públicas e nas atitudes panfletárias da iconografia comercial publicitária.

A transformação nos espaços comerciais é tão radical que passam a existir, num único arruamento, dois níveis de definição arquitectónica quase independentes pro-

Ao lado: Enquadramento do mundo ferroso da Ponte de D. Luís I
Em cima: Publicidade à Fundição de Massarellos

CAPÍTULO 9. REGENERAÇÃO, EXPANSÃO E MODERNIDADE | 67

O quotidiano do ferro espalha-se pela cidade

vocados pela sucessão de *devantures* no piso térreo, autonomizando-se do nível superior das fachadas diversificadas dos edifícios de habitação. Dir-se-ia que o transeunte distraído com a parafernália comercial redescobre uma nova cidade quando se lembra de olhar e admirar a parte superior das fachadas, com um excelente exemplo na Rua de Santa Catarina e a sucessão de edifícios almadinos, palacetes liberais e eclectismos da viragem do século.

A lógica dos usos públicos passa para a esfera do privado nos jardins de Inverno, estufas, mirantes, escadarias, clarabóias, *bow-windows*, varandas envidraçadas, portões e muros gradeados, elementos escultóricos e terraços, numa combinação crescente com o cimento armado.

Palácio de Cristal

O surto industrial de meados do século XIX leva à criação da Associação Industrial (1849-1852) e logo organiza uma série de exposições agrícolas e industriais com o motivo de induzir e promover o reflexo da actividade económica e industrial da sociedade portuense.

Apesar de insípida em termos internacionais, a industrialização no Porto era sinónimo do progresso nacional e a dinâmica burguesa, encabeçada por João Allen, projecta o ideal de uma realização semelhante às grandes exposições internacionais de Londres e Paris.

A realização da Exposição Internacional concretiza-se em 1865, tendo sido construído um grandioso edifício, o Palácio de Cristal, com projecto inglês do arquitecto Thomas Dillen Jones e esbeltos jardins de Emilio David. A estrutura de ferro e vidro da nave central denuncia os letrismos «progredior» na fachada,

Fachada do Palácio de Cristal, demolido nos anos 50 do século XX (*A Cidade do Porto na Obra do Fotógrafo Alvão*, 1984)

Postal do Palácio de Cristal e jardins (1992, CMP)

CAPÍTULO 9. REGENERAÇÃO, EXPANSÃO E MODERNIDADE | 69

Os passeios diurnos na Avenida das Tílias do Palácio de Cristal (*Manual do Cidadão Aurélio da Paz dos Reis*, Centro Português de Fotografia, MC, 1998)

espalhando-se no seu vasto interior mais de 3 000 expositores nacionais e estrangeiros, provocando manifestações de admiração e orgulho a todos os que presenciaram aqueles momentos. No entanto, a Exposição revelar-se-ia um fracasso financeiro para um país ainda não preparado para acontecimentos dessa dimensão.

Contudo, o Palácio de Cristal torna-se uma referência festiva de uma sociedade que assiste a novas exposições, acontecimentos, manifestações culturais, musicais, fotográficas e desportivas, passeando elegâncias nos jardins, até à demolição inglória da grande construção em meados do século XX.

Os estrangeiros

Desde muito cedo, o intercâmbio mercantil permitiu um crescente afluxo de estrangeiros que constituíram um factor decisivo no desenvolvimento económico da cidade.

A partir do século XVII, a comunidade britânica assume um destaque particular, incidindo numa apaixonada e forte projecção sobre a região duriense e o seu produto mais emblemático – o Vinho do Porto. Contudo, apesar da sua lógica de convívio reservado, esta comunidade estabelece laços no desenvolvimento de praticamente todos os sectores económicos e industriais, deixando uma marca consistente na tipologia arquitectónica e urbanística e um impacto na evolução das vivências socioculturais.

Os estrangeiros são indissociáveis da vida comercial portuense. É através deles que se conhecem muitas das novidades e progressos dos centros mundiais da civilização.

Uma sucessão infindável de nomes estrangeiros permanece, ainda hoje, na memória colectiva da sociedade portuense. Apenas como curiosidade destacamos alguns: Buisson, Page, Offley, Delage, Croft, Reynaud, Rief, Catalon, Whitehead, Bearsley, Cálem, Van Zeller, Feuerheerd, Baubard, Burmester, Prudhomme, Fleming, Allen, Courrege, Archer, Cobb, Pinac, Warre, Forrester, Cassels, Kendall, Suére, Ruffe, Spratley, Andresen, Sertori, Sandeman, Tait, Symington, Jervell, Hitzmann, Aufrére, Bertrand, Guichard, Fassini, Cudell, Delaforce, Rothes, Graham, Hastings, Feist, Katzenstein, Flower, Barbot, Von Hafe, Morgan, Biel, Hofle, Vicent, Cassagne, Lehmann, Chambers, Niepoort, Wandschneider, Vaultier, Stüve, Wall, entre muitos outros.

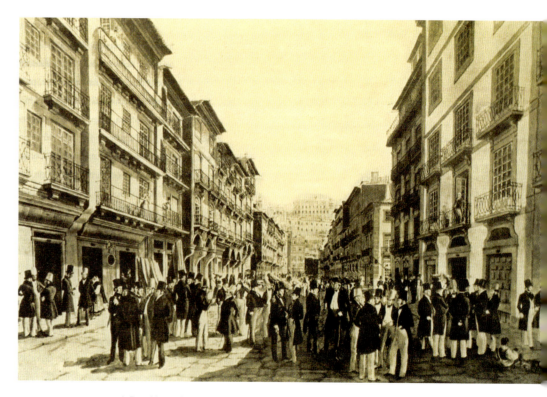

A Rua Nova dos Ingleses em 1834, actual Rua do Infante D. Henrique
(Colecção de Gravuras Portuguesas – Porto e Douro)

AS LOJAS

«Tradição»

Na actividade comercial tradicional fica-se com a sensação que o espaço se adapta, transforma e especializa nos tempos de abundância, regressando ao modo original de sobrevivência nos tempos de crise, vendendo novamente de tudo um pouco.

É característica própria deste tipo de venda tradicional, que ainda hoje subsiste, uma mentalidade comercial agressiva que recorre a uma comunicação visual e verbal directas. Os sentidos são atacados por uma sensação de bazar (delírio de abundância) com a exposição dos produtos em todos os espaços disponíveis,

Aspectos rítmicos do comércio tradicional

A vivacidade das lojas com as modinaturas pintadas

pendurados de forma assimétrica nas fachadas, pintadas de cores berrantes e garridas, transbordando para o espaço público do passeio e da rua.

Por sua vez, a comunicação verbal é utilizada no convite e sedução dos transeuntes. Percorrendo as ruas mais estreitas dos núcleos históricos, ainda hoje se pode apreciar a permanência desta forma de comercializar.

Apesar de pertencerem a épocas, estilos e tipologias distintas, existem aspectos do comércio que poderemos apelidar de tradicionais, tais como o apelo à protecção religiosa de santos específicos de cada grupo profissional (Santo António nas mercearias, por exemplo), a transposição das divindades, atributos e símbolos do classicismo greco-romano protegendo e dignificando o caminho dos homens ou, ainda, outras questões que o tempo conforma em permanências, como a cor exterior azul das padarias, o trabalho artístico das ourivesarias ou o mobiliário aristocrático das farmácias.

Rua de Cedofeita
Estrada velha de Vila do Conde-Viana do Castelo

O lugar da Venda, no Carvalhido

Zonas

A consolidação da revolução urbana, industrial, comercial, dos transportes e das acessibilidades conforma, em traços vincados, uma grande zona central especializada e diversificada, com todo o tipo de comércios (diário, semanal, ocasional e excepcional).

A partir desta zona define-se uma evolução tentacular ao longo das estradas velhas, onde a actividade comercial surge em sequência arterial extensiva, numa variedade que permite a autonomia de serviços e produtos, evitando deslocações ao sobrecarregado centro.

Exceptuando o caso da Foz do Douro que, pela sua localização, dimensão urbana e evolução histórica se demarca autonomamente, no restante território concelhio o comércio aparece, segundo uma polarização disseminada, nos antigos lugares e alguns cruzamentos, tendencialmente para abastecimento de géneros de consumo diário.

  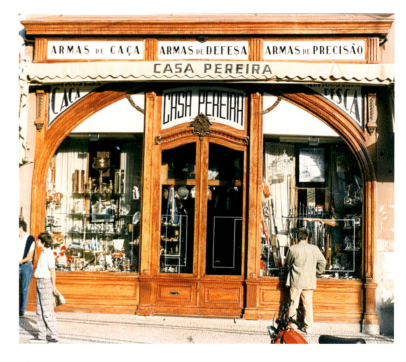

Vários aspectos das *devantures* existentes na cidade do Porto

As lojas

Com o advento do Movimento Regenerador e posterior evolução até à viragem do século, assiste-se a uma nova mentalidade comercial, numa atitude que dignifica e privelegia a relação com o público, alterando os espaços comerciais existentes nos arruamentos. Estas alterações seguem um código de valores estrangeirados, denunciado pelos galicismos das terminologias técnicas (usadas correntemente nos pedidos de licenças de obras) como *devanture*, *montre*, *vitrine* ou *marquise*.

A uma tradição construtiva que prolonga padieiras e mainéis numa sucessão porticada seguem-se as inovações técnicas que o aparecimento das fundições disponibiliza. O uso de vigas de ferro, suportando toda a fachada acima do rés-do-chão, suprime os mainéis e ombreiras e liberta o poder criativo para uma nova estética das frontarias comerciais, com projectos personalizados que valorizam os espaços de exposição.

Mais do que arquitectos e engenheiros, serão os mestres-de-obras formados nas escolas técnicas (comerciais e industriais) os responsáveis pela morfologia típica das *devantures*. O esquema-tipo das fachadas comerciais é o tripartido, com porta central ladeada por duas montras, separado por colunas com capitéis e enquadrado por pilastras molduradas, servido por um entablamento com frisos, cimalhas e cartelas, com o nome do proprietário ou da loja e a numeração relativa ao arruamento.

Para além da adaptação circunstancial à topografia alterosa da cidade, alguma riqueza tipológica é-nos dada por soluções que unificam todo o rés-do-chão (integrando a porta de entrada do edifício de habitação), absorvem a sobreloja ou, ainda, em particulares resoluções de gavetos.

Os materiais de revestimento utilizam a tradição do granito, a sobriedade clássica do mármore, a modernidade do uso do ferro, o trabalho dos marceneiros e entalhadores imbuídos de uma tradição de grande adaptabilidade a novos usos e gostos, a incorporação de azulejos decorativos e simbólicos, a utilização de cristais e a força anunciadora dos grafismos pintados sobre o vidro ou em folhas biseladas (douradas e prateadas) sobre fundo negro e, finalmente, um conjunto de outros materiais como o cobre e o latão, usados em situações pontuais dignificadoras. Esta materialização das frontarias é comum a um conjunto alargado de lojas especializadas em vários tipos de comércio.

O contributo da actividade comercial é determinante na aceitação de novos códigos e valores técnico-estéticos, sugerindo que a percepção, a inovação e a renovação da imagem urbana comercial é fundamental para a aceitação dos produtos por uma clientela que se desejava actualizada e afirmativamente moderna.

Aspectos interiores de lojas

Interiores

Outrora obscuros e sujos, os interiores passam a resplandecer da luz exterior que aviva a exposição dos produtos, havendo um enobrecimento geral dos espaços de venda através do uso decorativo dos materiais, segundo uma carga simbólica ou apenas por razões funcionais ou higienicistas.

Os pavimentos podem ainda denunciar os carris férreos, que facilitam o transporte de mercadorias para o armazém existente no logradouro, ou um gancho e

Vitrines escondidas com pequenos «museus» da prática comercial

correntes junto a um alçapão, quando o armazém se situa na cave, para onde se acede por uma rampa ou escada.

Mas os novos tempos evidenciam um especial cuidado nas soleiras com inscrições convidativas, prolongando-se nos pavimentos interiores de madeiras diversas, nos enxaquetados de mármore ou, simplesmente, no valor estético de uma grande variedade de mosaicos, disponibilizados pelos catálogos das indústrias cerâmicas.

Nos intervalos dos móveis de estilo ou no mobiliário adaptado à função tipológica dos produtos, as paredes vestem-se de mármores, madeiras, azulejos, estuques, espelhos e papéis de parede, recorrendo a lambris, pilastras e outros motivos da ornamentação arquitectónica.

Esta lógica espacial passa para os tectos, valorizando esteticamente a função estrutural das vigas onde se inscrevem movimentados estuques (ondulantes, geométricos e figurativos), reservando um lugar especial para todo o sistema de iluminação interior.

Frequentemente, as escadas interiores ocupam lugares de destaque consoante a função e dimensão do estabelecimento, desde as escadas de caracol fornecidas pelas fundições até às magníficas escadas escultóricas, como a existente na Livraria Lello & Irmão.

O recurso simbólico a esculturas, bustos, relevos, arcos, colunas e gradeamentos, aliado à disposição geral do mobiliário, fomenta cenários de fruição e aproximação dos clientes para zonas específicas de atendimento.

A novidade da caixa registadora marca presença na altura do pagamento, havendo também um belíssimo e robusto cofre na zona do escritório, separado por uma parede envidraçada.

A abertura e fecho do estabelecimento obrigava ao costume, ritmado de sons, da retirada das vitrines amovíveis e posterior colocação de portadas exteriores de madeira. Esta tradição foi sendo substituída com a incorporação nas *devantures* de persianas metálicas de protecção que se enrolam no entablamento.

Com frequência, nos negócios de tradição familiar ou interfamiliar, as lojas mostram retratos dos seus fundadores e sócios, alguns prémios nacionais e internacionais e destacam objectos com um significado pré-museológico, numa atitude que dignifica a memória das gerações dos comerciantes desta cidade.

Trilogia patrão-caixeiro-marçano

O desenvolvimento do sector terciário ao longo do século XIX evidencia uma crescente diversificação e especialização dos estabelecimentos. Estes ambicionam assegurar uma clientela para os novos hábitos de consumo proporcionados pela industrialização e aliciados panfletariamente na divulgação publicitária.

A tradicional estrutura artesão-mestre-aprendiz é agora transformada numa nova trilogia patrão-caixeiro-marçano, que se desenvolve de forma exponencial com a independência da produção industrial em relação aos espaços comerciais de venda.

A tipologia arquitectónica corrente, embora continue a ter pequenas oficinas para adaptar os produtos aos clientes, liberta quase todo o piso térreo para o comércio. O armazém localiza-se no logradouro ou na cave, sendo os pisos ascendentes, sucessivamente, para escritório, habitação do patrão e, no último piso, abrigo para os empregados vindos da província.

As condições do operariado industrial eram terrivelmente precárias. Ao mesmo tempo, o trabalho na actividade comercial era socialmente bem visto e considerado uma das formas possíveis de ascensão de pessoas com poucos (ou nenhuns) recursos familiares e financeiros.

Mas o caminho era também penoso, tendo os marçanos de aceitar uma subserviência «militarizada» durante longos anos até à ambicionada posição de caixeiro, publicamente afirmada no uso da gravata e demais figurino.

O caixeiro iniciava uma aprendizagem dos segredos da profissão transmitidos paulatinamente pelo saber acumulado do patrão. A habilidade comprovada do caixeiro poderia gerar um futuro convite para sócio da empresa ou, com frequência, uma saída compulsiva para abrir um negócio semelhante, na mesma rua e concorrendo pela mesma clientela.

Enquanto no balcão (ao fundo) o marçano ouve o caixeiro, o patrão conversa com um amigo-cliente na loja

CAPÍTULO 11. A MUDANÇA DE RUMO – SÉCULOS XIX-XX | 79

A Praça da Liberdade e a Rua dos Clérigos (*A Cidade do Porto Através do Bilhete Postal*, Ateneu Comercial do Porto)

A MUDANÇA DE RUMO – SÉCULOS XIX-XX

A procura do novo centro da civilização portuense

Desde finais do século XIX que a cidade industrial e capitalista já não se revia na «acanhada grandeza» do centro cívico da Praça de D. Pedro e sentia constrangimentos nas acessibilidades à grande zona comercial central. As tensões urbanísticas acentuam-se com os afluxos crescentes da Ponte de Luiz I e da Estação de S. Bento e, na sequência de alguns projectos públicos e privados, surge a ideia da renovação do centro da cidade, consubstanciada na figura do vereador Elísio de Melo que chama o urbanista e arquitecto inglês Barry Parker.

Para além de uma avenida-jardim longitudinal prolongando para norte a pre-existente Praça de D. Pedro, os objectivos também se alargaram a uma nova estruturação viária com diversas transversais, articulando momentos urbanos existentes na encosta oriental e ocidental, assim como uma fundamental ligação ao tabuleiro superior da Ponte de Luiz I, aproveitando para higienizar-demolir o burgo medieval envolvente à Sé Catedral.

O projecto apresentado não correspondia volumetricamente à magnitude estético-arquitectónica pretendida, sentindo-se, no subsequente jogo de influências, o traço do eclectismo *beaux-arts* do arquitecto Marques da Silva, que será o responsável pelos modelos aplicados ao longo da nova avenida, acompanhado pela imagem altiva do novo edifício municipal do arquitecto Correia da Silva. A abertura da Avenida das Nações Aliadas e a pressuposta monumentalidade dos edifícios nela construídos, incorporando um conjunto de sedes de grandes empresas financeiras e industriais e oferecendo um número significativo de pisos para escritórios, ressentiu-se de um tecido económico impreparado, provocando um moroso processo na concretização do projecto global.

A situação fica comprometida por conjunturas económicas difíceis até à Segunda Guerra Mundial, aliadas a uma alternância das correntes estilísticas do século XX acompanhando os momentos de liberdade, censura e indefinição arquitectónica, e inviabilizando a noção de conjunto estético pretendido.

A amplitude procurada na grandeza da Avenida dos Aliados (*A Cidade do Porto na Obra do Fotógrafo Alvão*, 1984)

Após os centros biológicos da Ribeira, da Sé, de S. Domingos e da incomum Rua Nova (Rua do Infante D. Henrique), deslocalizava-se decididamente para a Praça D. Pedro o espírito imparável do prestígio burguês, num sopro de crescimento que apenas este novo centro ampliado reflectia.

A configuração do espaço público como símbolo cívico é conseguida com um forte eixo ascendente até ao volume e torre da nova Câmara Municipal, espelhando no espírito dos portuenses a identificação com um lugar que se manifesta nos momentos de orgulho local, regional, nacional e internacional.

O guindaste Titan para a construção do molhe do Porto de Leixões (*O Porto e os seus Fotógrafos*, Tripé da Imagem, Porto 2001, Porto Editora)

A cidade agoniza com a falta de condições de salubridade

Porto de Leixões

As dificuldades crescentes da Barra do Douro, de armazenamento e de acessibilidades, determinam a deslocalização para um porto atlântico, aproveitando a desembocadura do rio Leça e um conjunto de rochedos designados Leixões.

O Porto de Leixões, construído até 1895 e depois ampliado sucessivamente com novas estruturas industriais relacionadas, dará um enorme impulso económico-industrial às povoações de Matosinhos-Leça, que funcionam como uma espécie de cordão umbilical da cidade portuense e que esta pretendeu anexar em novas freguesias (ampliando o território municipal), infelizmente sem sucesso nas decisões político-administrativas.

Doenças

A cidade industrial da livre concorrência (mas que clama por pautas proteccionistas) acentua os desiquilíbrios e as desigualdades sociais. A grande mole operária (e agrícola) não resiste às frequentes crises pontuais que degeneram em fome, desemprego e inflação sobre os microssalários de quase metade da população portuense, que sobrevive escondida nas miseráveis «ilhas».

Os focos gravíssimos de epidemias contagiosas afastam ainda mais a outra sociedade distraída, que se educa e apaixona pela música, pelo teatro, e se encaixilha nas poses fotográficas. Apenas o alerta geral de Ricardo Jorge sobre a peste bubónica do fim do século XIX, obrigando a sentir a vergonha de um cordão sanitário à volta da cidade (com um enorme prejuízo para a actividade económica), fará alertar e confrontar consciências para a resolução prática dos problemas básicos da condição humana.

Instituições

As várias crises despoletam um surto de associativismo operário, sobressaindo as instituições de carácter mutualista, beneficência, as cooperativas de consumo e caixas de crédito, afirmando também mesclados interesses educativos, recreativos, culturais e publicando jornais informativos. Estas instituições assumem uma crescente politização de ideais socialistas e republicanos, instigando revoltas, manifestações e greves, reivindicando melhores condições de trabalho, leis que protejam mulheres e menores, horário fixo, descanso semanal ao Domingo e outras situações que, transportando-nos para a actualidade, nunca pensaríamos terem sido fruto de árduas conquistas.

Em 1911 é criada a Universidade do Porto, agregando os estabelecimentos antecessores e desenvolvendo-se ao longo de todo o século XX, disseminando o universo dos saberes por novas faculdades que, em todos os momentos, participam como um factor de progresso, poder e dinamização da vida socioeconómica.

Ateneu Comercial do Porto

Simbolicamente identificada nos auspícios protectores de divindades da mitologia clássica, a Sociedade Nova Euterpe nasce, em 1869, da fusão da Sociedade Comercial Terpsícore, da Sociedade Caliamira, da Sociedade Comercial Euterpe e, em 1871, do Clube Recreativo Portuense.

Este fortalecimento corpóreo induz a necessidade urgente de um edifício-sede mais amplo, que será construído de raiz em 1883, com intencional proximidade das zonas comerciais da cidade. Sob a luminosidade do dignificante edifício, o precursor clube de caixeiros transforma-se num clube de uma elite de negociantes, proprietários e capitalistas.

A robusta fachada principal apalaçada, de rés-do-chão e dois andares, combina os valores de simplicidade aos de uma dignidade contida, com pilastras e modinaturas marcando ritmos verticais e evidenciando o tramo central

O edifício do Ateneu Comercial do Porto na Rua de Passos Manuel

da porta, sob uma larga varanda, rematado superiormente por um frontão curvo com medalhão inscrito.

O interior reflecte os vários momentos das artes decorativas portuguesas, através de uma manifestação iconográfica riquíssima nas personagens envolvidas em vários acontecimentos sociais, culturais e políticos, segundo uma distinta democraticidade visionária.

Pressentem-se ruídos de diferentes tonalidades, desde a glamorosa agitação da escadaria de acesso à galeria e salão nobre, passando pela solenidade estática do museu, até aos murmúrios da biblioteca, que memoriza nomes maiores da cultura e oferece o resplendor dourado da 1.ª edição de *Os Lusíadas*.

Rumo político I

Após o Ultimato Inglês (1890) e consequentes síncopes suicidárias e comemorações nacionalistas, será nas classes politizadas das instituições que irão estar muitas das personalidades que acompanharão o aviso revoltoso de 31 de Janeiro (1891) até ao regicídio e deposição da Monarquia em 1910, proclamando-se então os valores do Estado Republicano.

Para além da miragem brasileira, o país pensava renascer no futuro interesse económico do império africano. Mas a época é de crise financeira, o que ainda não permite investimentos para colher frutos distantes, num mundo que se defronta na Guerra desde 1914 a 1918.

Revolução técnica do quotidiano

Começa a viver-se a revolução do automóvel que irá alterar os ritmos de tempo, velocidade e distância, aliada a progressos técnicos que recorrem aos subprodutos da corrente eléctrica, reformulando os modos de vida quotidianos.

À democratização das novidades técnicas juntam-se as máquinas individuais de trabalho doméstico e profissional, com exemplos nas máquinas de costura, de escrever, e, mais tarde, nas máquinas eléctricas de lavar e cozinhar.

Os novos sistemas de conservação de alimentos (enlatados, leite em pó, entre outros), assim como os sistemas de refrigeração, popularizados nos novos frigoríficos das primeiras décadas do século XX, têm uma importância incalculável nos aglomerados urbanos.

Os novos produtos industriais bem sucedidos comercialmente induzem, quase sempre, uma génese de novas especializações comerciais de venda e de reparação das avarias técnicas.

À esquerda: Aguarela do Rei D. Carlos oferecida aos Bombeiros Voluntários do Porto em 1900, representando um salvamento, que a Monarquia não iria ter em 1910
À direita: Anúncio publicitário do início do século XX ao automóvel como paradigma da elegância

A descoberta da mulher como objecto da publicidade

Mulher e estética

A mulher desenvolve trabalhos de carácter tradicional (venda de peixe, louça, pão, entre outros) ou no tear oficinal doméstico, conseguindo também um lugar importante no trabalho industrial, tal como se regista no primeiro filme de 1896 de Paz dos Reis, «A saída das operárias da Camisaria Confiança».

A publicidade evidencia uma nova atitude do mercado relativamente ao lugar estético, comercial e sociocultural da mulher, antecipando a afirmação de valores que paulatinamente vão sendo conquistados.

É também um tempo de descobertas, tendências e variantes estéticas, questionando todos os caminhos do olhar, sentir e pensar, que se irá prolongar por todo o século XX.

Eclectismos

A uma arquitectura portuguesa ecléctica, revivalista e historicista da viragem para o século XX vem juntar-se o estilo arte nova na sua versão curvilínea de inspiração francesa. Geograficamente periférico e com uma indústria insípida, a apaixonante vivência dos «anos loucos» quase não passa por aqui. Eram poucos os estudantes-bolseiros em arquitectura e a nova arte é, maioritariamente, feita por hábeis mestres-de-obras, marceneiros e serralheiros que recorriam à pouca imprensa especializada, sendo a sua aplicação entendida como uma colagem de elementos decorativos.

Também o contributo das fundições não é especialmente criativo, repetindo modelos de pilastras, colunas, capitéis, festões, frisos, medalhões, grinaldas, pingentes, aplicações em bronze e cornijas na maior parte dos estabelecimentos comerciais.

A diversidade criativa aparece apenas nas combinações dos modelos ou em situações dignificadoras como a acoplação de pequenos motivos escultóricos e baixos-relevos, o recurso a superfícies de azulejos geométricos e figurativos, o trabalho de serralharia e vidraria em belíssimas marquises (alpendres) com diversificados desenhos arquitectónicos, algumas pinturas iconográficas sobre diferentes superfícies, o destaque dado aos elementos iluminadores do espaço pela sua afirmação de modernidade, também expressa nos letrismos, inscrições e forma das tabuletas publicitárias que terão uma grande presença ao longo dos principais arruamentos comerciais da cidade.

A partir do século XX começa a ser usada a argamassa de cimento, e, consequentemente, o betão armado. Mais fácil de moldar-aplicar do que o ferro e menos sujeito aos efeitos corrosivos, perde-se (contudo) em decorativismos do passado feitos em pedra ou ferro e demora a definir uma linguagem própria reveladora das suas qualidades materiais e estéticas. José Marques da Silva terá sido, talvez, o único que, durante este período, conseguiu impor uma linguagem própria do betão armado, expressa no edifício dos Armazéns Nascimento em 1914. Arrojadamente, nele o betão já transparece para o exterior na expressão dinâmica dos

Pormenor figurativo na fachada da Livraria Lello & Irmão

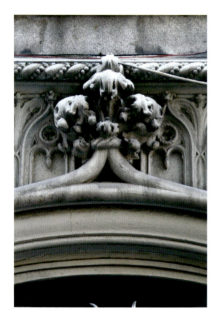

Os eclectismos historicistas começam a marcar presença nos mais importantes arruamentos comerciais da cidade renovada

lanços das escadarias, na maciça marquise que reclama a entrada e nas meias-esferas invertidas que coroam o edifício, evitando a generalizada ênfase visual dos chanfros nas ruas importantes, com volumes cilíndricos terminados em lanternins e zimbórios.

Grandes Armazéns Hermínios – 1893

Inserido numa zona fulcral do desenvolvimento comercial da cidade e construído sobre as ruínas do extinto Teatro Baquet (devido ao pavoroso incêndio de 1888), os Grandes Armazéns Hermínios faziam frente com as ruas de Sá da Bandeira e 31 de Janeiro através de dois edifícios que se interligavam no interior do quarteirão por um espaço central com uma estrutura em ferro.

Assume-se festivamente o ferro na zona mais nobre da cidade, através de um conjunto «claustral» de três pisos com galerias, oferecendo uma monumental escadaria dúplice ao centro e uma requintada cobertura com desenhos geométricos nos cristais. Funcionava como um grande centro comercial de oferta diversificada e reservava pontualmente o espaço mais digno do «claustro» para actividades lúdicas, surpreendendo a clientela com sessões musicais ou com modernidades como os primeiros *films* do pioneiro Aurélio Paz dos Reis. Apesar da dignidade da sua construção, actualmente nada resta, tendo-se consumado o seu desaparecimento em poucas décadas.

Em cima: Aspectos do edifício dos Grandes Armazéns Nascimento no cunhal das ruas de Santa Catarina e Passos Manuel
Em baixo: Pormenor azulejar da fachada do antigo Grande Bazar do Porto na Rua de Santa Catarina

Esplendor do espaço interior dos Grandes Armazéns Hermínios (*Álbum do Porto*, Marques Abreu)

CAPÍTULO 11. **A MUDANÇA DE RUMO – SÉCULOS XIX-XX** | 89

Grandes Armazéns Hermínios (1893)

Desenho de reconstituição dos Grandes Armazéns Hermínios que se localizavam numa parcela contínua entre a Rua de Sá da Bandeira e a Rua de 31 de Janeiro

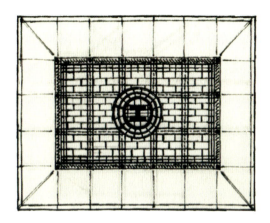

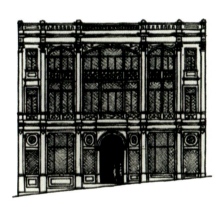

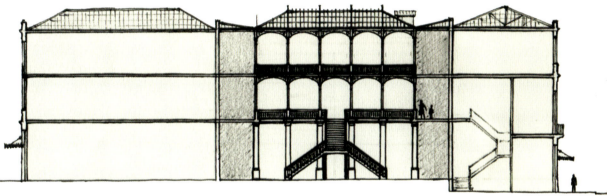

Rua de 31 de Janeiro
(antiga Rua de Santo António)

Rua de Sá da Bandeira

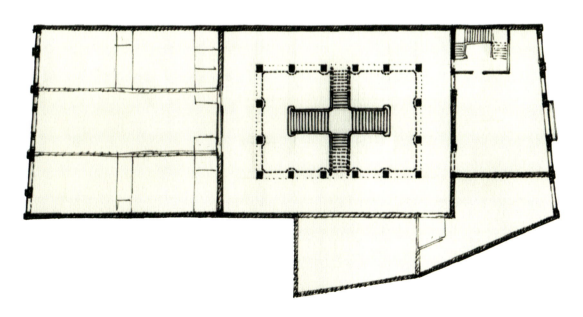

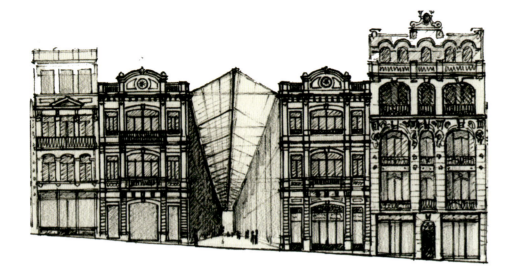

Rua da Galeria de Paris – 1903

As indecisões urbanísticas sobre a construção de um grandioso mercado central na zona da Cerca e Convento de S. José e Santa Teresa de Carmelitas Descalças estarão directamente relacionadas com as pressões especulativas burguesas para urbanizar o local com edifícios de forte cariz comercial, pressentindo a oportunidade económica do lugar, que poderia prolongar o comércio existente na Rua dos Clérigos até à Praça de Carlos Alberto. Este facto é confirmado no planeamento e na dignidade das construções realizadas, aceitando o gosto liberal transformado em eclectismos e modernismos arte nova de origem francófona.

A utilização de galicismos na viragem do século é usual e reveste-se de profunda carga cultural e sociológica. A designação da principal artéria do bairro – Rua da Galeria de Paris – é evocadora do fascínio que a capital francesa então provocava.

Pretendia configurar-se o espaço público rectilíneo com edifícios de altimetrias constantes para ser coberto por uma estrutura de ferro suportando vidro. Este ideal romântico de proteger os clientes-transeuntes das intempéries climáticas, comum a todas as grandes cidades europeias, infelizmente nunca viria a ser rea-

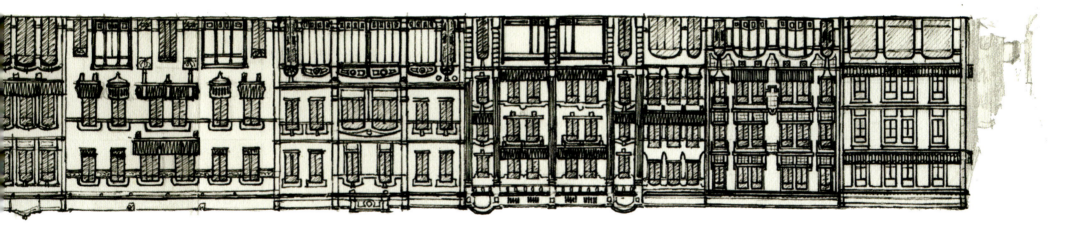

lizado, nem se conhece (até ao momento) o desenho da cobertura projectada. No entanto, ficou uma elegante rua, estrategicamente predestinada à actividade comercial, que conviveu com a fachada do edifício da «Photographia Belleza» e os seus painéis publicitários arte nova, situados na Rua de Santa Teresa.

Página ao lado, em cima: Desenho das fachadas da Rua das Carmelitas, mostrando a desembocadura da Rua da Galeria de Paris e uma hipotética cobertura metálica para simular/clarificar os aspectos espaciais

Página ao lado, em baixo: Fotografia da Rua da Galeria de Paris

Em cima: Desenho das fachadas confrontadas da Rua da Galeria de Paris, permitindo a percepção do alinhamento das cornijas que serviriam de apoio à cobertura nunca realizada

Livraria Chardron / Lello & Irmão – 1906

Edifício requintado, que se destaca do lugar, revestido de um eclectismo predominantemente gótico no seu traçado, com um informado projecto do engenheiro Xavier Esteves.

A claridade da fachada enfatiza a escuridão das aberturas que sugerem diferenciados ritmos. Um friso pontualmente decorado enquadra um arco abatido, que delimita a porta principal e duas montras laterais.

No primeiro andar, ondulantes panejamentos de duas figuras femininas simbolizando a Arte e a Ciência orientam para o vão central tripartido, superiormente decorado com um rendilhado arabesco arte nova. A rematar a fachada, as pilastras laterais acabam em coruchéus e destaca-se verticalmente uma platibanda gótica ao centro, onde massa e transparência revelam a força decorativa.

Entramos. O maravilhoso interior provoca estupefacção. No pavimento, os trilhos dos carris dirigem-se para o armazém por entre o desenho geométrico dos tacos de madeira. As paredes estão completamente revestidas de armários-expositores e elementos verticais em talha, interrompidos a meia altura por uns baldaquins que encimam relevos em cobre, da autoria de Romão Júnior, representando vultos das letras e os fundadores do estabelecimento. A decoração parietal prolonga-se e harmoniza-se com um jogo de rosáceas góticas nas varandas-corredores que ladeiam o grande *hall* central, iluminado pelo colorido vitral no tecto com a sua divisa *Decus in labore*.

A sensual e caprichosa escadaria central, enroscando-se como duas cobras dançando, é suportada por dois pilares e funciona como uma divisão visual com fortes implicações estruturais e espaciais. O espaço anterior é de recepção, venda e exposição, sendo os espaços posterior e superior, respectivamente, armazém e escritórios. Nos últimos anos, o espaço superior foi recuperado para actividades públicas dignificadoras.

Obra lúcida de forte contraste lumínico exterior-interior, geradora de emoções que nos aproximam do culto religioso; o interior é um espaço sereno onde valores insuspeitamente instalados, como a calma e o silêncio, exaltam ao prazer da leitura.

Fachada da Livraria Lello & Irmão e escadaria interior

Página ao lado: Vários aspectos da exuberância artística da Livraria Lello & Irmão

CAPÍTULO 11. A MUDANÇA DE RUMO – SÉCULOS XIX-XX | 93

Mercado do Bolhão – 1914

Na continuidade de anteriores políticas de dotar o território concelhio de um conjunto de mercados abastecedores, após o mercado do Anjo, a praça-mercado do Bolhão, o mercado-edifício do peixe, o edifício metálico do mercado Ferreira Borges e outros pequenos mercados do Marquês, Campo 24 de Agosto e Foz, surgem algumas indecisões políticas que prolongam os problemas de abastecimento de alguns locais da cidade onde continuavam a ter lugar feiras ambulantes pouco higiénicas.

Este último factor primordial, em conjunto com a necessidade de prolongar em rampa a Rua de Sá da Bandeira até à Rua de Fernandes Tomás, determina a construção de um edifício-quarteirão-mercado que substitui o espaço oitocentista vedado da praça-mercado do Bolhão.

A espera incerta do grupo escultórico que simboliza o comércio olhando para a Rua Formosa

A marcação cilíndrica no chanfro entre a Rua Formosa e a Rua de Sá da Bandeira

O edifício, arquitectónicamente filiado na escola francesa *Beaux Arts*, construído em cimento armado por Correia da Silva, revela uma monumentalidade urbanística nos volumes cilíndricos dos ângulos, nas fachadas axiais com entradas centrais e na informação decorativa simbólica dos frontespícios. Desenvolve um duplo programa, estabelecendo espaços comerciais individuais no exterior e mercado público no interior do quarteirão, com uma hierarquização de percursos, escadarias e galerias.

O tempo e os usos encarregar-se-ão de tornar este espaço de usufruto colectivo uma zona de referência e identificação da cidade comercial, povoada de vozes, cheiros, cores, ritmos e o pulsar fervilhante das verdades humanas.

Rumo político II

O país republicano é um país dividido em antíteses, utopias, moralismos, movimentos estudantis universitários, sindicalismos, anarquismos, intolerâncias, extremismos de esquerda ou de direita, que transformam este espaço numa convulsa pátria doente, escancarando as portas a uma inevitável revolta militar em 1926 que imporá um novo ciclo de uma longa ditadura.

O rumo político como uma instabilidade aquosa

O Estado Novo representado pela escultura da menina nua situada na Avenida dos Aliados e pelo pormenor figurativo de um painel de azulejos existente na loja Pérola da Guiné localizada na Rua de Costa Cabral

DO ESTADO NOVO AO ESTADO VELHO

Estado Novo

O regime autoritário salazarista «pacifica» a nação, desenvolvendo um Estado que, através do medo, da delação e da perseguição, liquida o movimento operário, o sindicalismo, o liberalismo, o parlamentarismo, o comunismo, e configura critérios de censura e supressão das liberdades.

Para restabelecer a depauperada economia do país, institui o controlo do circuito económico, favorecendo o processo de concentração empresarial em grandes grupos familiares industriais, financeiros e bancários, tutelando um novo sistema corporativo com federações, grémios e uniões. Na região portuense é reorganizado o sector vinícola em 1933 com a fundação do Instituto do Vinho do Porto, da Casa do Douro e do Grémio dos Exportadores.

A censura está intimamente relacionada com a propaganda que «educa» as almas retomando a mística imperial, começando a estruturar as mentalidades para o lugar de Portugal no mundo, evidenciado em 1934 na I Exposição Colonial Portuguesa, realizada num Palácio de Cristal revestido de linguagem arquitectónica modernista, e simbolizado no Monumento ao Esforço Colonizador.

O Porto planifica-se com Ezequiel de Campos (1932) e, mais tarde, com os arquitectos italianos Muzio e Piacentini, decidindo abolir, em 1943, as barreiras alfandegárias da marginal e da Circunvalação, perímetro onde residiam cerca de 260 000 habitantes.

Durante os anos 30, a cidade urbanizava grandes áreas com as tipologias «rurais» dos BCE (Bairros de Casas Económicas) ou por intermédio das Cooperativas de Habitação, a que correspondiam diversos equipamentos públicos disseminados territorialmente.

Correntes culturais ao longo do século

No século XIX, todo o processo de criação de instituições e associações pretendia, também, a promoção técnica, social, recreativa, cultural e estética de franjas mais alargadas da sociedade.

O processo de assimilação de novas correntes culturais, durante o século XX, irá basear-se em focos de vida intelectual formalizados em grupos, associações, exposições, conferências, cooperativas e fundações que irão ser, em grande medida, responsáveis por atitudes de identificação das especificidades culturais e de transformação das mentalidades.

Entrada principal do Instituto do Vinho do Porto situado na Rua de Ferreira Borges, no antigo edifício do Banco Comercial do Porto

Monumento ao Esforço Colonizador Português construído para a Exposição Colonial de 1934, posteriormente transferido para a Praça do Império (*O Porto e os seus Fotógrafos*, Tripé da Imagem, Porto 2001, Porto Editora)

Alguns impulsos dinamizadores são merecedores do reconhecimento para a posteridade, tais como a Renascença Portuguesa e a revista *A Águia*, o Salão dos Modernistas, o Grupo Mais Além, o Grupo dos Independentes, as publicações *Portucale*, *Civilização*, *Claridade*, *O Pensamento* e o *Boletim Cultural*, as Exposições de Arte Moderna, a Organização dos Arquitectos Modernos (ODAM), a Cooperativa Árvore (1963), os grupos «Os Quatro Vintes», ACRE, PUZZLE, IF e Vermelho, a Fundação Eng. António de Almeida (1969), o Cineclube, o TEP, o Gabinete de História da Cidade e a Casa do Infante, a Casa de Serralves e o novo Museu de Arte Moderna, a Casa da Música, o Clube Portuense, o Ateneu, o Órfeão e os Fenianos, assim como várias tipografias, editores e títulos jornalísticos que amplificam os fenómenos culturais.

Fachada neogótica da Renascença Portuguesa, situada na Rua dos Mártires da Liberdade, local de um importante foco cultural no início do século XX

Correntes arquitectónicas I

Anos 20

Na pausada recuperação económica posterior à Primeira Grande Guerra, o útil toma o lugar do belo e a doce fragilidade da arte nova entra em decadência, sendo substituída por uma simplificação geral das linhas arquitectónicas.

Contudo, nesta década de 20 é evidente uma desorientação estilística responsável por prolongar esquemas arquitectónicos ultrapassados, pobres no uso dos materiais, na iconografia e nos espaços. Mas a contenção económica dos investimentos provoca uma lógica de simplificação que acaba por fazer uma aproximação aos códigos usados no início do Modernismo de finais da década.

Em 1925, Paris volta a ser o centro do mundo artístico com a Exposição Internacional das Artes Decorativas. Definem-se dois rumos que se projectam no futuro arquitectónico europeu:

• O estilo Artes Decorativas (*art déco*) é o continuador lógico da arte nova, apelando ainda a valores de composição e monumentalidade tradicionalista, apenas modernizadas na atitude decorativa que simplifica, geometriza e planifica, segundo um enquadramento geral de faixas horizontais e verticais.

• O outro caminho está na «união» do modernismo radical e purista de Le Corbusier (*l'esprit nouveau*) com as tendências germânicas da Bauhaus, retomando algumas ideias da escola austríaca do início do século e do incompreendido Loos. A síntese encontrada entre os valores puristas e um crescente expressionismo irá conduzir a propostas de volumes articulados em movimentadas assimetrias.

Anos 30

Apesar de culturalmente periférica às novidades europeias, uma primeira geração modernista informa-se superficialmente e aplica as novas soluções arquitectónicas no contexto comercial portuense.

Recorrendo a autores em início de carreira, disponíveis para desbravar novos caminhos, os espaços comerciais vão ter um importante papel na aceitação do novo «estilo», renovando e modernizando a imagem pública das fachadas, dos interiores e seu mobiliário, e influenciando decisivamente a receptividade do vocabulário moderno que se irá propagar, depois, em todas as tipologias arquitectónicas.

A cidade comercial procura o seu novo lugar e encontra-se nas afrontas estéticas dos seus protagonistas, com especial incidência na inspiração total da dupla Manuel Marques-Amoroso Lopes (Arq.), na genialidade criativa de Artur de Almeida Junior (Arq.), no vigor telúrico de José Ferreira Peneda (Arq.), na consciente diversidade de Januário Godinho (Arq.), no expressionismo gráfico de Arménio Losa (Arq.), na surpreendente liberdade geométrica de Jorge Manuel Viana (Eng.), na segura consistência de José Coelho de Freitas (Const. Civil), para além de um conjunto de notáveis realizações pontuais de arquitectos como Carlos Ramos, Keil do Amaral, Rogério de Azevedo, Mário Abreu, Júlio José de Brito, João

Exemplos de várias fachadas de lojas que impulsionaram o modernismo na arquitectura portuense, após a Exposição Internacional das Artes Decorativas de Paris (1925) e ao longo dos anos 30 do século XX

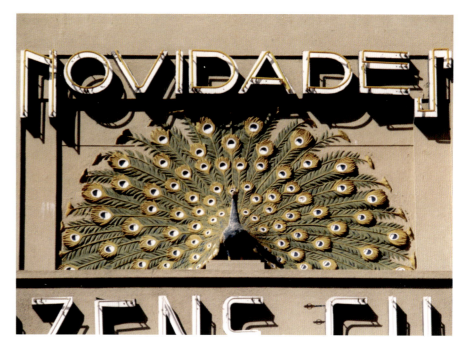

Afirmação panfletária e decorativa de vários modernismos personalizados no comércio portuense

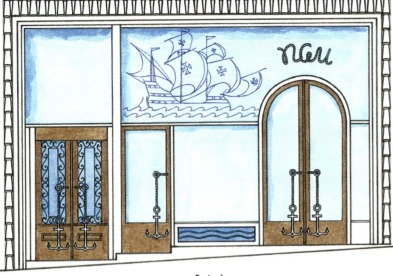

Fachada

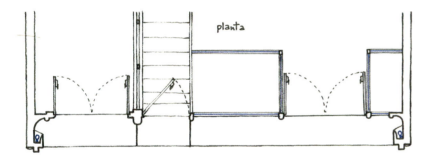

planta

Queiroz, António de Brito, Renato Montes, entre outros que afirmaram uma modernidade que passa a respirar na actividade comercial.

Os projectos acentuam os valores da tensão compositiva, desde a provocação plástica da expressão à síntese purista, recorrendo a espelhos e superfícies vítreas que desmassificam os espaços e se animam com sistemas de iluminação e néons coloridos, acompanhados de grafismos e letrismos vigorosos que vão apelar ao mundanismo dos passeios nocturnos.

Em cima: Fachada da Adega/Restaurante Nau na Rua de Passos Manuel, que também no seu interior assumia um tipicismo «português»
Em baixo: A inspiração modernista do perfil cinético e arrojado do Coliseu Portuense, numa época de terrível insegurança mundial

Estado neutro – espelho oblíquo

O clima de insegurança europeia durante a Guerra Civil Espanhola (1936-39) e a Segunda Guerra Mundial (1939-45), período em que Portugal assume diplomaticamente a neutralidade possível, corresponde à passagem de grandes fluxos de pessoas e valores, e a um tecido económico e industrial que enriquece o Estado (perante a ruína sôfrega do povo), que, na dúvida, espera as contingências para o abraço ao contentor vitorioso.

O país ainda não se revê no mundo dividido entre Capitalismo e Comunismo e fecha-se mentalmente consigo e com o seu império atacado, com eufóricas manifestações em 1940, na Exposição do Mundo Português.

Apesar de lateralmente os efeitos da guerra estarem sempre presentes, esta paz insegura era o paraíso no mundo para os portuenses e as comunidades estrangeiras que viam chegar parentes, amigos, conhecidos e desconhecidos, reflectindo uma incrédula estupefacção perante uma cidade que convivia com o Colégio Alemão e a Sinagoga no mesmo arruamento. Sentia-se uma pujança comercial digna de registo, com a renovação dos espaços e fachadas dos estabelecimentos, de que são excelentes exemplos, pelo seu carácter social e cosmopolita, o grandioso Café Palladium (que havia ocupado o espaço dos Armazéns Nascimento) e a monumental construção do Coliseu do Porto, inaugurado em 1941.

Os apontamentos decorativos de cariz regionalista começam a substituir a lógica moderna dos anos 30 do século XX

Correntes arquitectónicas II

Anos 40

O primeiro modernismo não sobrevive à crescente censura estética que impõe um retorno à aldeia regional pátria. A Exposição do Mundo Português em 1940 acentua decisivamente esse retrocesso estilístico. A partir deste momento, e por longos anos, verifica-se a tendência para mascarar as construções (e também as lojas) de elementos supostamente referenciados como portugueses, nacionalistas e regionalistas.

As linhas estáticas, sóbrias e vigorosas enchem-se com estilizações de pilastras e volutas, cornijas e beirais, cachorros de granito a «suportarem» uma pala-varanda em betão armado, serralharias artísticas sem nexo, candeeirinhos a iluminarem santinhos e galos (apenas) de Barcelos, que se espalham por todo o país.

No período do pós-guerra acentua-se a consciência política dos arquitectos que procuram as liberdades individuais, colectivas, criativas, educativas (na aprendizagem dos modernismos estrangeiros) e, inconformados, se associam na ODAM (Organização dos Arquitectos Modernos), realizam conferências, exposições e participam nos Congressos Internacionais de Arquitectura Moderna (CIAM).

É nesta época que se torna visível, no contexto portuense, a influência do esforço educativo do arquitecto Carlos Ramos no acentuar de uma liberdade criativa consciente. Paralelamente a uma maioria que renega anteriores obras modernas, surge uma nova geração de arquitectos como Viana de Lima, José Porto, Artur Andrade, o grupo ARS e Fernando Távora que confunde os caminhos da censura e edifica obras notáveis.

Fernando Távora e a «casa portuguesa»

A presença do jovem Fernando Távora fez-se notar pelo notável ensaio-manifesto contra o imobilismo da falsa «arqueologia» que transporta a superficialidade dos pormenores decorativos do passado para um futuro viciado em arquitectura «à antiga portuguesa».

A escrita de *O Problema da Casa Portuguesa* (Fernando Távora, 1945) constitui uma síntese arrebatadora de pouco texto e muito sumo, denunciando a «mentira arquitectónica» ao afirmar que «… há uma ética na Arquitectura e se o Homem é a unidade da escala que a mede, devem exigir-se a ela as mesmas qualidades que todos exigimos ao verdadeiro Homem, donde ainda a conclusão de que proteger o actual conceito de "Casa Portuguesa" é legalizar a mentira, e a sociedade que assim procede, em qualquer das suas formas activas, é sociedade falhada».

Fernando Távora procura a verdade natural nascida «… do Povo e da Terra com a espontaneidade e a vida de uma flor» e sugere o difícil caminho onde «… tudo há que refazer, começando pelo princípio».

A mensagem vai originar o extraordinário Inquérito à Arquitectura Popular Portuguesa (anos 50) que depois germinará em orientações implícitas nas arquitecturas modernas das décadas seguintes.

Esta inconveniente verdade com 60 anos tem, ainda actualmente, merecimento perante o panorama de disfunção maçadora dos que (como dizia o Mestre) «… gostam de se pôr em bicos de pés».

As mãos e o perfil do Mestre-arquitecto Fernando Távora alcançaram a plenitude profunda da simplicidade do pensamento arquitectónico

Estado Velho

O Estado aristocrático sobrevive às derrotas militares das ditaduras europeias nacionalistas, mas os sinais do mundo eram os da emancipação dos ideais da liberdade comum. Ao longo de décadas, as várias contestações libertárias ambicionadas pela sociedade portuguesa de forma crescente e transversal foram sendo contidas pelo aparelho censuro-repressivo do regime.

Três aspectos dos anos 60 do século XX: a morte anunciada nas saudades fotográficas que nos acompanham; a tensão, quase bélica, de um relevo escultórico na entrada de um ambiente socializante de um café; militares na Guerra Colonial

O envolvimento de Portugal no Plano Marshall e a adesão à OECE (1947) e o auxílio financeiro americano introduzem uma modernização estrutural na economia portuguesa, através da elaboração de planos de fomento, com especial incidência nas infra-estruturas, fontes de energia e consequente processo de industrialização. Este processo é reforçado em 1960 com a adesão consecutiva à EFTA, BIRD, FMI e GATT, com a indução de fortes investimentos europeus que dinamizam a economia do país e das neodesignadas províncias ultramarinas.

Mas o momento mundial é jogado no tabuleiro geoestratégico da Guerra Fria e, apesar da integração na ONU e na NATO (1949), logo em 1961 começa a interminável Guerra Colonial. Esta provoca o empobrecimento e desequilíbrio estrutural do país, com o despovoamento do interior e a explosão demográfica e urbanística do litoral, a que se sobrevém uma imparável emigração europeia e atlântica.

A queda anunciada do regime salazarista e a ansiada mudança durante o Marcelismo (a partir de 1968) provocam expectativas de alteração de rumo perante um crescente isolamento internacional. Mas o regime funebremente agoniza na manutenção da Guerra e desmorona no choque petrolífero de 1973 até à inevitável ruptura em 25 de Abril de 1974.

Porto

A cidade do Porto começa a reflectir as orientações da organização territorial estabelecidas nos planos urbanísticos de Antão de Almeida Garrett, que originam o Plano Regulador da Cidade em 1954, e posteriormente o Plano Director de Robert Auzelle em 1962, quando a população citadina já ultrapassa os 300 000 habitantes.

A lógica estrutural já é metropolitana, com o dinamismo aeroportuário acompanhado das infra-estruturas viárias da Via Rápida/Via Norte/Ponte da Arrábida e a previsão de uma Via de Cintura Interna, com as plataformas logísticas associadas dos terminais de carga e zonas industriais.

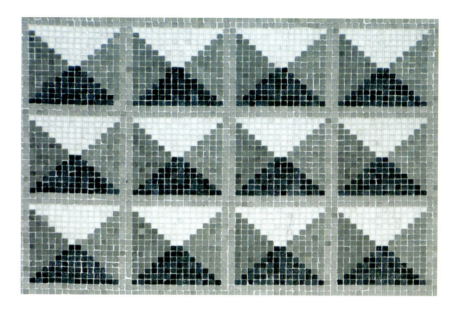

A geometria explora a decoração das fachadas nos arruamentos e atinge o esplendor no interior do Mercado do Bom Sucesso

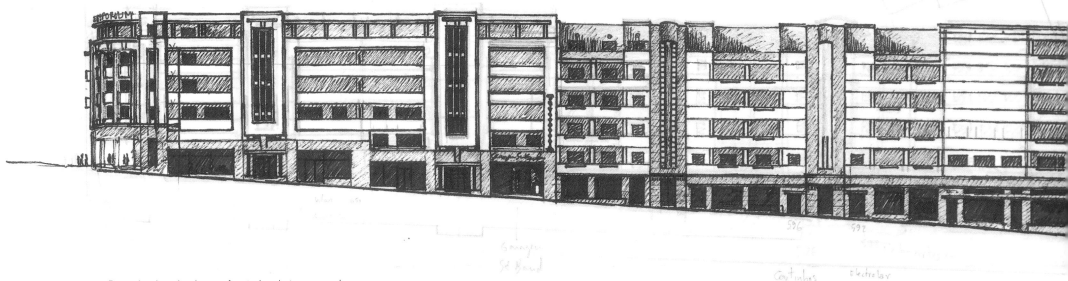

Desenho dos alçados confrontados do tramo moderno e monumental da Rua de Sá da Bandeira, com projectos construídos desde os anos 30 até aos anos 50 do século XX

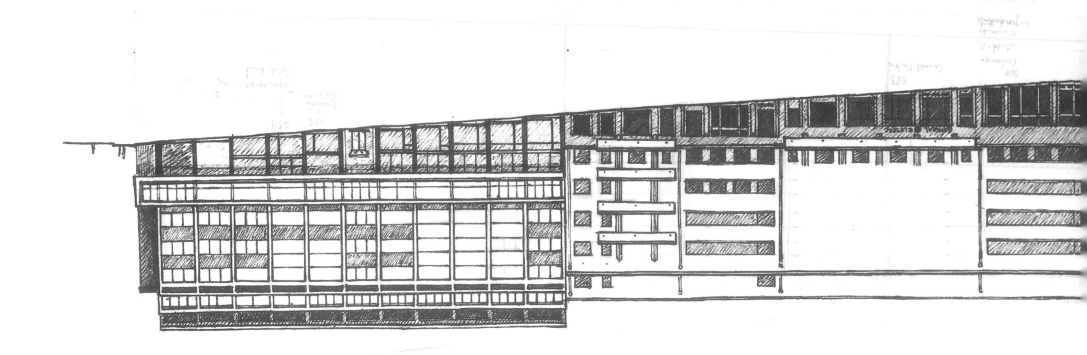

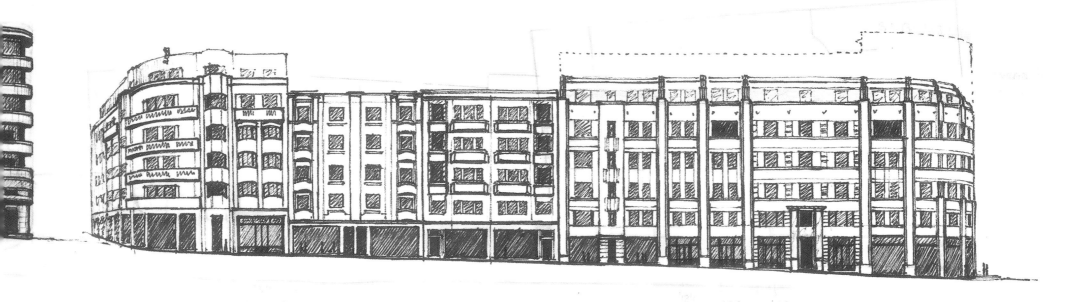
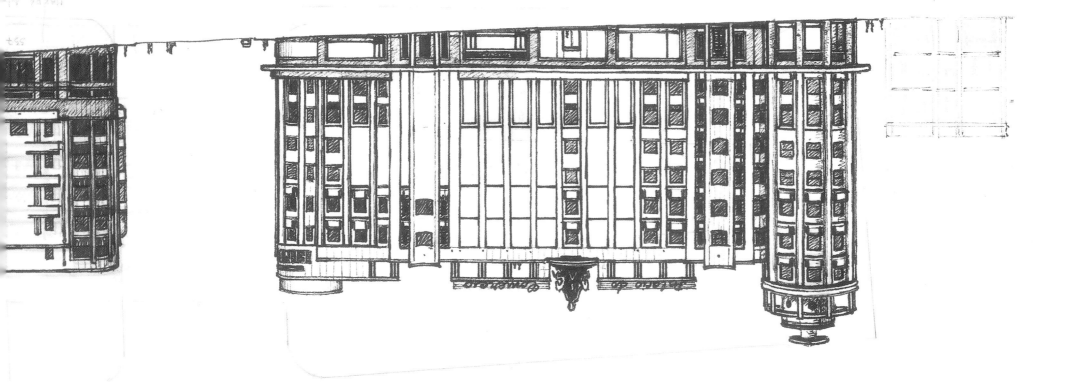

É durante este período que se consubstancia um conjunto notável de equipamentos públicos através da concretização do Túnel da Riberira (1950), do Mercado do Bom Sucesso (1952), do Palácio dos Desportos/Cristal (1951-55), conclusão dos Paços de Concelho (1957), do Hospital de S. João (1958), do Palácio da Justiça (1961), da Faculdade de Economia (projecto de 1961), da Ponte da Arrábida (1963) e também com o novo plano de salubrização das «ilhas», em 1956, que irá construir bairros sociais colectivos nas freguesias envolventes do grande centro tradicional.

A pujança económica da Capital do Norte reforça a sua centralidade em relação a um vasto território envolvente, com sedes de grandes empresas e promoções especulativas a dinamizarem uma nova imagem urbana, alterando o perfil citadino com a construção de torres que simbolizam o seu poder empresarial, como são os casos dos edifícios Miradouro (Cooperativa dos Pedreiros), do Jornal de Notícias, do Montepio Geral, do Hotel D. Henrique, do Palácio Atlântico, ou configurando um novo carácter, moderno e cosmopolita, no prolongamento das ruas de Sá da Bandeira, Ceuta, do espaço Graham-Boavista, da Rua de Júlio Dinis e da Praça Velasquez, prevendo-se, nestes dois últimos locais, a constituição de pólos afirmativos do carácter comercial da cidade.

Nos anos 70, a evolução urbanística e económica da zona da Boavista começa a indiciar a substituição e deslocalização das actividades comerciais e financeiras do centro tradicional de uma «Baixa» constrangida nas acessibilidades, sobreurbanizada, densa, antiquada e cansada.

O progressivo aumento da classe média potencia uma diversificação e especialização do comércio, que vai induzir a génese do consumismo e as primeiras ruas pedonais de grande vitalidade terciária.

Em cima: A alteração do perfil citadino até aos anos 70 (século XX) através da construção de edifícios-torre informa a riqueza de algumas destacadas empresas

Em baixo: Grupo escultórico existente na Rua de Sá da Bandeira no edifício designado Palácio do Comércio

Correntes arquitectónicas III

Anos 50

Os anos 50 consolidam uma lógica monumental dos espaços comerciais, sugestionados por uma concepção espacial onde é frequente o pé-direito duplo com uma dinâmica escada, servindo um piso superior em varanda recuada, e o grande vazio iluminado por caixotões ou excêntricos candelabros.

A linguagem compositiva das fachadas recupera algumas tendências do primeiro modernismo dos anos 30, enriquecendo-a com palas protectoras, planos inclinados e dinâmicos, e os letrismos seguem a musicalidade da escrita pessoal em efeitos néon.

A cidade ilumina-se com placas publicitárias de assimétricos jogos coloridos de néons
Tectos azulejados da colunata do edifício Atlântico, situado na Praça de D. João I

As paredes autonomizam-se da estrutura, suportada pelos pilares, permitindo inovações libertadoras de plantas e alçados.

Reúnem-se as três artes – pintura, escultura e arquitectura – como reacção aos espaços anteriormente construídos e que eram sentidos como perturbadoramente secos, frios e estáticos, na tentativa de lhes dar uma nova alma que os afastasse dos perigos do mundo.

A mistura dos materiais tradicionais é frequente, começando a usar-se vários materiais plásticos e sintéticos de revestimento das superfícies que se irão generalizar na década de 60.

Em cima: Vários exemplos da liberdade criativa iniciada nos anos 50 e prolongada até finais dos anos 60 do século XX

A partir dos anos 60

Nos anos 60 e 70 do século XX, as montras recuam assimetricamente em relação ao arruamento, criando situações dinâmicas e aumentando o espaço de exposição dos produtos.

A frequente e insensível descaracterização dos valores histórico-arquitectónicos pela nova estética usada na transformação dos pisos comerciais (até ao primeiro andar) provoca, de forma irreversível, um efeito visual de corte longitudinal das fachadas das ruas, acentuado pelo avanço de palas maciças. Essas palas balanceadas sobre o passeio abrigam das condições climatéricas e tentam seduzir os transeuntes para as montras repletas de novidades.

Aos materiais plásticos e sintéticos juntam-se outros materiais, numa parafernália de novas cores e desenhos, a que não será indiferente um decorativismo estético relacionado com o movimento *flower power* anglo-saxónico.

   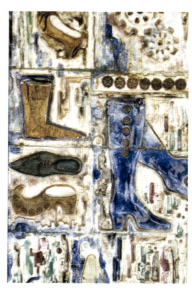

As ruas comerciais denunciam-se no espectáculo nocturno do jogo lumínico das montras e tabuletas de vários formatos e na progressiva popularização das iluminações natalícias. Estas são manifestações dos tempos de consumismo que marcam as últimas décadas, verificando-se, contudo, um menor investimento na qualidade arquitectónica nos estabelecimentos da grande zona comercial central – a «Baixa».

A partir dos anos 70, algumas ruas encerram-se ao trânsito automóvel, favorecendo os percursos pedonais e dignificando os pavimentos com desenhos criativos, fortalecendo a intensa actividade comercial, com visível sucesso na Rua de Santa Catarina, agora ponto fulcral no encontro dos portuenses.

Os ideais divulgados em cartazes após a «Revolução dos Cravos» de 1974

DEMOCRACIA E VISÃO EUROPEIA

Democracia

A proximidade temporal do momento histórico levanta questões ingratas sobre uma reflexão ultra-sintética do panorama político-económico e das suas consequências após o processo revolucionário do 25 de Abril, que, depois de um período conturbado de ajustamentos sociopolíticos, introduz Portugal no caminho da democratização e na aproximação aos valores europeístas.

É consagrado o reforço das atribuições da administração municipal, que aproxima os eleitos dos eleitores, e essa proximidade revela-se na resolução das prioridades básicas e na estruturação e planeamento do território.

Um novo olhar é dedicado às qualidades intrínsecas do centro histórico degradado, criando-se o CRUARB em 1974 para dar impulso ao rejuvenescimento e reconhecimento do património histórico dos portuenses que, em 1996, adquire o estatuto de Património Mundial, constituindo actualmente um motivo de orgulho nacional, promovido turisticamente e revestindo-se de uma actividade terciária em crescimento.

Aos meus olhos

Tendo vivido sempre nesta cidade, o que posso dizer daquilo que os meus olhos de criança de 8-16 anos puderam presenciar durante o período revolucionário através dos meios de comunicação (televisão, rádio, jornais), nos trajectos escolares, em saídas com familiares e grupos de amigos, é que senti ao longo de vários anos uma situação de espantoso descontrolo frenético anormal. Havia a descoberta de um novo vocabulário que era constantemente repetido por um conjunto de partidos políticos com personagens diversificadas e uma miríade de siglas, símbolos, abreviaturas, expressões e manifestos que, com paciência curiosa, gostava de descodificar como: governo provisório, descolonização, nacionalização, estado de sítio, junta de salvação nacional, sindicatos, paralizações, greves, saneamento, reinvindicações, conselho de estado, brigada do reumático, intersindical, tubarões fascistas, sessões de esclarecimento, reforma agrária, poder popular, manifestações, falências, deposição de corpos gerentes e directivos, ocupações, comissões de moradores, conselho da revolução, capitalistas, dia mundial do trabalhador (que era feriado), verão quente, MFA, PREC, ONU, OUA, FMI, etc., achando que quase todos defendiam o mesmo (paz, pão, povo e liberdade) por caminhos diferentes, e, muitas vezes, uma terminologia igual – DEMOCRACIA – tinha diferentes significados. Tive a percepção dos preços a subir todos os meses, dos produtos que deixou de haver, do dinheiro que perdia valor, da habilidade culinária para transformar o pouco em muito, do significado das coisas, das prendas, dos remendos e arranjos, mas também dos cartazes e paredes pintadas, dos caças a passar no 11 de Março ou no 25 de Novembro, dos retornados que, num golpe de esforço, indicavam nas frentes comerciais a sua proveniência com os nomes estranhos da geografia africana.

Os tempos difíceis amenizaram-se na viragem para os anos 80, verificando-se, contudo, que a vontade das realizações urbanísticas demorava muito tempo a concretizar-se. Por todo o lado surgiam os novos centros comerciais (com escadas rolantes), particularmente no centro moderno que

Cartaz de João Abel Manta que reflecte um dos símbolos da Revolução de Abril

O consumismo entra no quotidiano, seja pela construção de centros e galerias comerciais, ou pela sugestiva variedade dos produtos disponibilizados pela internacionalização das economias

era a zona da Boavista, onde se impunha o novo pulsar comercial da cidade, por antítese ao centro semiestagnado da zona antiga.

Consumismo

Estimulada pela construção da Ponte da Arrábida e consequentes afluxos viários e crescimento urbano, a zona da Boavista funciona, a apartir dos anos 70, como o novo centro estratégico comercial da cidade, em substituição da tradicional «Baixa».

A implantação do Shopping Center Brasília vai provocar uma autêntica «revolução» comercial. O seu sucesso comercial é o indicador-gerador de uma nova tipologia que se propaga por todo o perímetro da cidade, cedo provocando um excesso de oferta de área comercial em relação ao tecido económico existente e implicando a responsabilidade da posterior decadência do fenómeno.

Os centros comerciais ocupam grandes lotes urbanos, onde existiam fábricas ou palacetes com jardins, e rendibilizam os terrenos construindo edifícios envidraçados que prolongam o espaço de circulação pública para o interior dos quarteirões em galerias comerciais, oferecendo estacionamento, conforto e diversidade de oferta de bens de consumo, fazendo uma simulação dos ritmos citadinos dentro de, apenas, um grande edifício. Esses factores de atracção são ainda mais exponenciados, a partir de meados da década de 80, com a instalação da competitividade agressiva das grandes superfícies comerciais nos limites administrativos do pequeno concelho do Porto, acentuando a decadência da «Baixa» e dos Centros Comerciais.

CEE (COMUNIDADE ECONÓMICA EUROPEIA)

Com a entrada de Portugal na CEE dá-se uma transfiguração decisiva nos quotidianos, com reflexos evidentes nas concretizações das infra-estruturas há muito ambicionadas, que vão transformar a metrópole do Grande Porto numa unidade policêntrica extensa e dinâmica, onde os símbolos do progresso são o automóvel, o metro e as grandes superfícies comerciais que impõem novos hábitos, contribuindo de forma evidente para a decadência geral da grande zona central comercial da cidade do Porto. Esta decadência torna-se ainda mais visível com a abertura dos mercados europeus à globalização da economia, que transfere os factores produtivos para as crescentes economias dos gigantes asiáticos, com esquemas de produtividade agressiva, quase insuperáveis para a concorrência.

Símbolo da CEE acrescido de uma nova estrela com a entrada de Portugal
As novas infra-estruturas viárias mudaram radicalmente a metrópole portuense

O rio Douro passou a ser um cenário de novos atravessamentos que aproximam pessoas e bens

A lógica do sucesso comercial está intimamente ligada à antecipação e compreensão de um vasto conjunto de factores geoestratégicos relacionados com o urbanismo, a arquitectura, a indústria, o design, a concorrência, a distribuição, a promoção, a sedução e uma grande adaptabilidade aos novos desafios inesperados.

Nas últimas décadas, os tradicionais métodos de venda, promoção e sedução dos clientes foram sendo progressivamente adaptados, alterados ou substituídos pelas lógicas do pronto-a-vestir, boutique (anos 60), por sucursais de grandes marcas internacionais ou por técnicas de aproximação de vendas ambulantes, ao domicílio, por catálogo, por correspondência, com uma filiação internacional nos procedimentos que se revela nos estrangeirismos de *marketing*, *couponing*, *disketting*, *mailing*, *show-room*, *payTv*, entre outras.

São estes novos tempos de consumismo e globalização desenfreada apoiada na revolução tecnológica que parecem conduzir a uma ruptura difícil de discernir, em que a espécie humana procura o significado da vida e o seu lugar na relação com o meio envolvente.

Futuro?

A Faculdade de Arquitectura da Universidade do Porto torna-se um dos símbolos do Portugal moderno através da consagração internacional de alguns autores portuenses. Como reflexo dessa evidência assiste-se, a partir dos anos 90, ao regresso do interesse pela qualificação arquitectónica de espírito moderno nos espaços comerciais, pressentindo os lojistas que a modernização do espaço pode ser capitalizada em sucesso comercial na conquista apelativa das novas gerações, tendencialmente mais informadas.

Perante os fenómenos de deslocalização metropolitana da última década, sente-se a proximidade de um ponto de ruptura existencial do coração-alma da cultura comercial portuense, que parece não sobreviver aos esforços desencontrados e às indecisões das políticas urbanísticas-económicas, que resvalam entre o proteccionismo inconsequente e o «pasmatório encostado», a ver o que acontece.

As novas gerações procuram a alegria contagiante dos espaços, cada vez mais socializantes, nos Centros Comerciais (Arrábida Shopping)

O esvaziamento da antiga zona central da Baixa determina o encerramento de estabelecimentos comerciais

A capacidade de adaptação é um valor intrínseco da cidade viva, mas se a cidade do Porto perder a cultura dos ensinamentos que a tradição comercial lhe deu ao longo dos séculos, não conseguirei vislumbrar que miragem citadina nos reserva.

Esta escrita sobre uma temática transversal é o meu olhar cúmplice, inseguro e sentido, percorrendo e vagueando por quase todos os espaços desta cidade que eu amo.

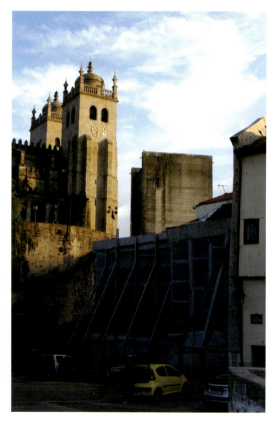

Retalhos da zona central que denunciam o esquecimento desolador ou a lembrança ignorante

Levantamento
Registo Arquitectónico

O estudo global dos estabelecimentos comerciais existentes na cidade do Porto foi executado entre 1989 e 1993 e correspondeu a uma estratégia inicial de identificação e análise documental de cerca de 12 000 projectos de arquitectura comercial, existentes nos pedidos privados de licenças de obras até ao final dos anos 50 (século XX) que constam dos Arquivos da Câmara Municipal do Porto.

Ao mesmo tempo, seguiram-se acções de levantamento arquitectónico registando em desenhos e fotografias as fachadas, os interiores e pormenores estéticos dos espaços comerciais existentes na época, consubstanciando 2 000 registos em cerca de 400 folhas.

É a existência deste acervo documental que justifica a sua transformação em livro, aprofundando, especialmente para todos os portuenses esquecidos, residentes temporários, mas também numerosos visitantes ocasionais, uma das melhores formas de sentir qualquer cidade, ao passear pelas suas ruas reconhecendo a afectividade semi-pública dos seus espaços comerciais.

O grafismo incoerente e sincopado denuncia uma aprendizagem nas formas de representação, na perspectiva de encontrar a melhor forma de reproduzir, num primeiro momento, os espaços arquitectónicos e, num segundo e mais importante desígnio, a alma dos seus ambientes.

Os desenhos dos estabelecimentos comerciais estão arrumados segundo a Grelha de Classificação do Comércio Retalhista, mas incorpora-se a análise histórica da função original do projecto arquitectónico quando este tem implicações nas funções tipológicas do espaço comercial. A lógica deste ordenamento torna difícil a aplicação quando a diversidade dos produtos vendidos nas lojas demonstra especializações de carácter muito diferenciado como, por exemplo, máquinas de escrever, cafés, chás, chocolates e bicicletas.

Por excesso de informação, esta pequena grande abordagem privilegia, tendencialmente, os pequenos espaços comerciais, deixando para futuros livros outros edifícios comerciais de prestígio, assim como uma abordagem consistente sobre os cafés-restaurantes, bancos e actividades afins.

Este é um convite para aprender a olhar e questionar o espaço interior que em nós se ocupa dos valores da memória, na obrigatória selecção do que pretendemos deixar aos vindouros, de algumas coisas belas e simples que a ignorância do vendaval urbanístico compromete para todo o sempre.

PLANTA

CORTE – INTERIOR

MERCEARIA SALGUEIRISTA
Muro dos Bacalhoeiros, 71

Ano/Autor: Fim do século XIX, início do século XX
Representação sobrevivente da lógica do piso térreo comercial, onde se sucedem os tempos de trabalho-mercearia, de alimentação-casa de pasto e de habitação. Actualmente, o estabelecimento comercial não existe, tendo o espaço sido incorporado no projecto global que aglutina várias parcelas para a construção de um hotel.

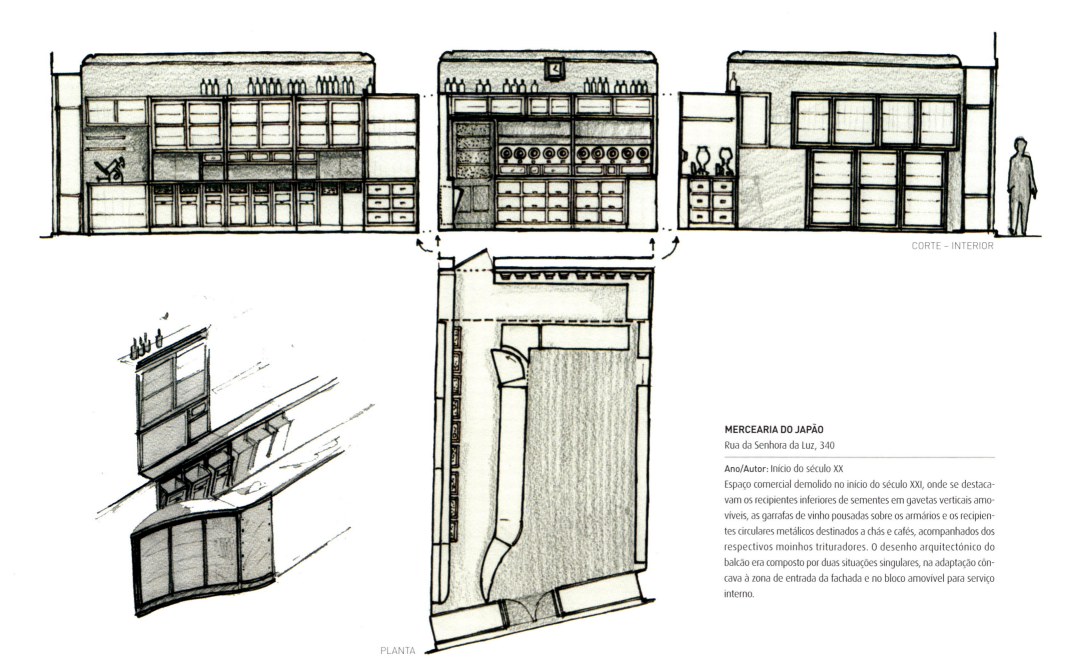

CORTE – INTERIOR

PLANTA

MERCEARIA DO JAPÃO
Rua da Senhora da Luz, 340

Ano/Autor: Início do século XX
Espaço comercial demolido no início do século XXI, onde se destacavam os recipientes inferiores de sementes em gavetas verticais amovíveis, as garrafas de vinho pousadas sobre os armários e os recipientes circulares metálicos destinados a chás e cafés, acompanhados dos respectivos moinhos trituradores. O desenho arquitectónico do balcão era composto por duas situações singulares, na adaptação côncava à zona de entrada da fachada e no bloco amovível para serviço interno.

FELIX BARBOSA & C.ª, SUCC.
Rua de S. João, 56

Ano/Autor: 1917 / Inácio P. de Sá, C.C., Nova Fundição de Crestuma

AZEITEIRO ROSA
Rua de S. João, 52-54

Ano/Autor: 1914 / Fundição do Bolhão

MARQUES & ARAÚJO, LDA.
Rua de S. João, 48-50

Ano/Autor: 1913 / Licínio Guimarães, C.Ob. Fundição do Bolhão

A Rua de S. João florescia no século XIX de comércio grossista dedicado a mercadorias várias, potenciado pelas mercadorias que eram descarregadas no fervilhante ritmo portuário do cais ribeirinho. Estes três casos evidenciam a típica ocupação do piso térreo recorrendo a *devantures*, de ferro ou madeira, de grande adaptabilidade à largura de cada parcela e no uso diferenciado de portas e montras. Por ser incomum actualmente, uma sequência de três *devantures* da mesma época deveria ser preservada.

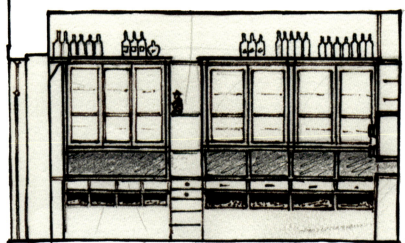

CORTE – INTERIOR

PLANTA

antiga MERCEARIA MARIA JOSÉ
actual MERCEARIA FERNANDO LOPES
Rua de S. João (da Foz), 65

Ano/Autor: Início do século XX
O acesso à habitação faz-se pelo interior da loja de cor celestial. Outras cores ressaltam das tabuletas publicitárias acompanhadas das emanações cheirosas que provêm das tampas metálicas sob o mármore. Deliberadamente explícito, o «Zé-Povinho» empunha uma das mãos avisando os mal-intencionados.

CORTE – INTERIOR
PLANTA

FACHADA

MERCEARIA DA COOPERATIVA DOS FUNCIONÁRIOS PÚBLICOS DO DISTRITO DO PORTO
Rua do Barão de S. Cosme, 42-44

Ano/Autor: Início do século XX
O edifício foi construído em 1916, reflectindo actualmente um abandono ruinoso. O interior era digno e com uma arrumação não perturbada por algumas sacarias e garrafões de vinho. Quase sempre semifechado, os raios de luz perpassavam as bandeiras das portas resplandecendo um interior de penumbras.

CASA ORIENTAL
Campo dos Mártires da Pátria, 110-112

Ano/Autor: Séculos XIX-XX
Loja fundamental da iconografia comercial portuense, a sua fachada reflecte os momentos históricos do comércio internacional português. Desde os letrismos, evidenciando na designação o longínquo Oriente, à figuração do labor comercial africano, até aos espalmados bacalhaus secos e salgados, pendurados como um cardume da Terra Nova, da América ou do Norte Europeu. A tabuleta inclinada da fachada constitui uma raridade arquitectónica que deve ser preservada.

ALIMENTAÇÃO | 129

CORTE – INTERIOR

FACHADA

PLANTA

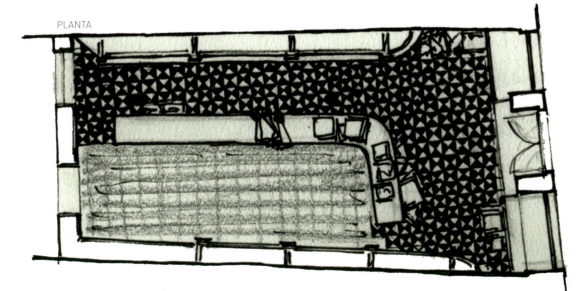

CORTE – INTERIOR   FACHADA

MERCEARIA
Rua do General Silveira, 38

Ano/Autor: 1917

Edifício de habitação e comércio construído para José dos Santos Pinto. A *devanture* de madeira e a porta de acesso à habitação estão envolvidas por azulejos ecléticos de tendência arte nova que embelezam o conjunto. O edifício foi cuidadosamente recuperado, mantendo a imagem pública da *devanture*, denunciando o bom gosto de quem habita este espaço.

ALIMENTAÇÃO | 131

FACHADA

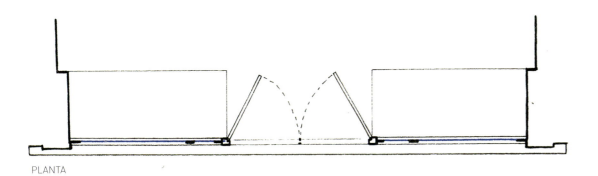

PLANTA

MERCEARIA LUIZ ALVES MOREIRA
Rua do Heroísmo, 86

Ano/Autor: 1919
Devanture de madeira em estilo arte nova reveladora de uma habilidade criativa e decorativa incomum. O desenho da caixilharia é tratado como um todo entrelaçado de ramagens arborescentes, remetendo elementos vegetalistas com flores nos caixilhos inferiores e nas pilastras. Todo o edifício foi demolido em 1950.

A PÉROLA DO BOLHÃO
Rua Formosa, 279

Ano/Autor: 1917 / José J. Carvalho, M.Ob.

Primorosa fachada ecléctica com alguns apontamentos arte nova, particularmente nos letrismos dos azulejos produzidos pela fábrica Carvalhinho, onde sobressaem duas sugestivas índias inclinadas sobre a porta central.

Na *devanture* de madeira, construída para a firma Elísio Pereira do Valle & Filhos, destacam-se fantásticos ornatos dragonados simulando apoio às cornijas encurvadas. No interior os produtos expõem-se numa abundância de formas e brilhos.

ALIMENTAÇÃO | 133

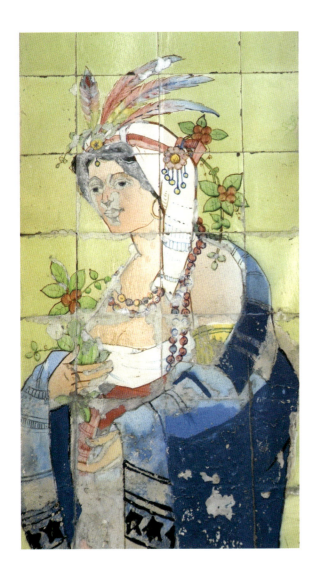

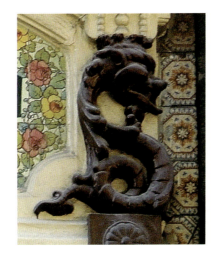
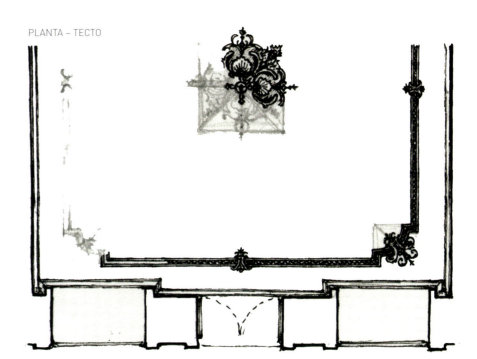

PLANTA – TECTO

FACHADA

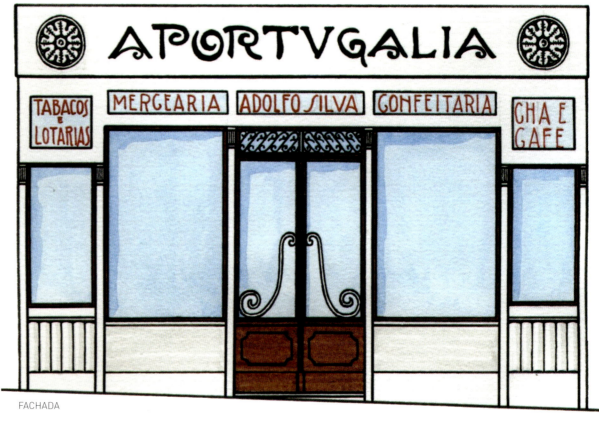

FACHADA

A PORTUGÁLIA (ADOLFO SILVA)
Rua Formosa, 265-269

Ano/Autor: José E. S. Moreira, Arq.

Fachada em cimento, com marmoreados fingidos, que clarifica as superfícies vítreas através de uma ritmada configuração geométrica. Apesar dos equívocos decorativos prenuncia a procura do tempo moderno no desenho arquitectónico. Foi alterada em 1948 e demolida nos anos 60 do século XX.

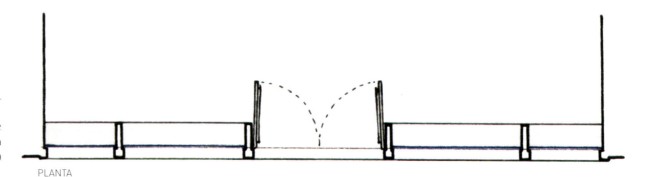

PLANTA

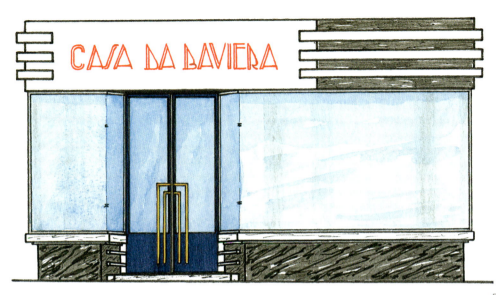
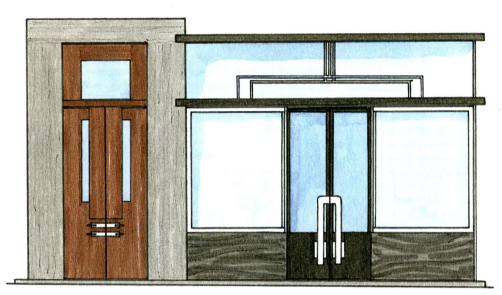

FACHADA

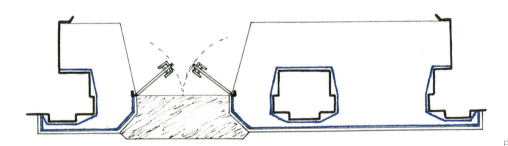
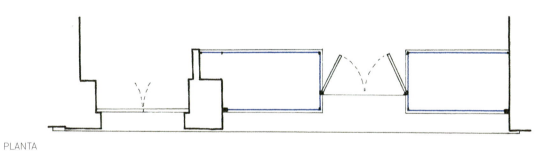

PLANTA

CASA BAVIERA (GÄRTNER & C.ª LDA.)
Avenida da Boavista, 647

Ano/Autor: 1933 / Artur Almeida Júnior, Arq.
O projecto anuncia a vigorosa modernidade de uma assimetria imposta pelas pilastras do edifício existente. Definem-se planos horizontais no embasamento, nas montras salientes para encobrir as pilastras camufladas por espelhos e no remate superior com faixas que demarcam o espaço dos letrismos insinuando néons. Foi alterada arquitectonicamente nos anos 50 e 70 e curiosamente, apesar de manter a designação, mudou de mercearia fina para papelaria.

MERCEARIA (BRITO D'OLIVEIRA MENDES)
Avenida da Boavista, 617-619

Ano/Autor: 1935 / A. Losa, Arq., Aucíndio F. S., Arq.
Impressiva fachada que combina a espessura maciça da entrada lateral com a delicadeza que se insinua nas superfícies vítreas da loja, reflexos tácteis próximos de Arménio Losa e distantes de Aucíndio Ferreira dos Santos. Foi demolida nos anos 60.

«O CHINEZ» / A CAFEZEIRA
Rua de Costa Cabral, 52

Ano/Autor: 1932
O processo, quase ritual, de retirar dos reservatórios, medir, introduzir no barulhento moinho, misturar – raspando com uma colher numa bacia metálica –, pesar e embrulhar num saco levanta e embrenha as poeiras aromáticas das especiarias, que tornaram o CHEIRO uma das componentes essenciais deste tipo de estabelecimentos. A dimensão intimista repleta de motivos de interesse reflecte o valor patrimonial que deve ser salvaguardado para as gerações futuras.

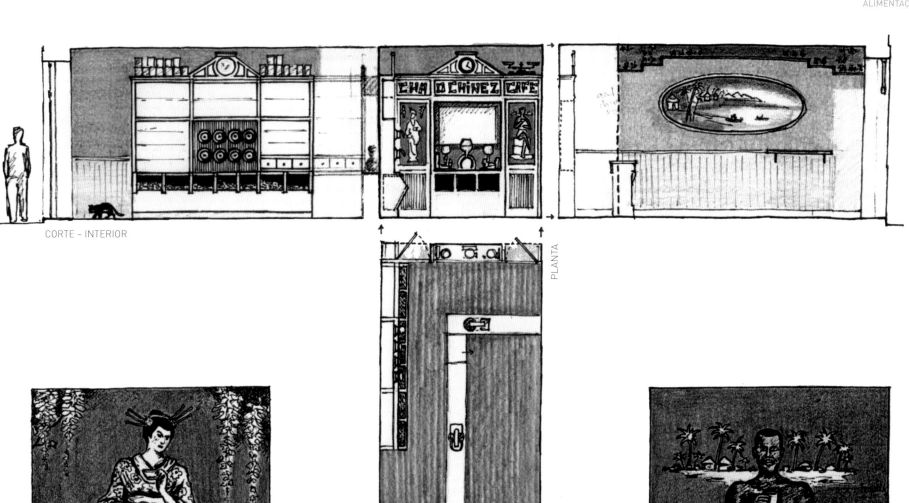

CORTE – INTERIOR

PLANTA

FACHADA

A PÉROLA DA ÍNDIA (DIAS, MENEZES, LDA.)
Rua das Flores, 218

Ano/Autor: Início do século XX (1934)
A sucessão porticada de vãos no piso térreo evidencia o espaço residual desta parcela urbana, tornando inevitável a exposição exterior dos produtos.
As montras e todo o acanhado interior estão apinhados de sacarias e vinhos variados, quase encobrindo o velho moinho metálico e as superfícies pintadas com a beleza que só a ingenuidade tem. Esta loja é merecedora de uma protecção arquitectónica-patrimonial específica.

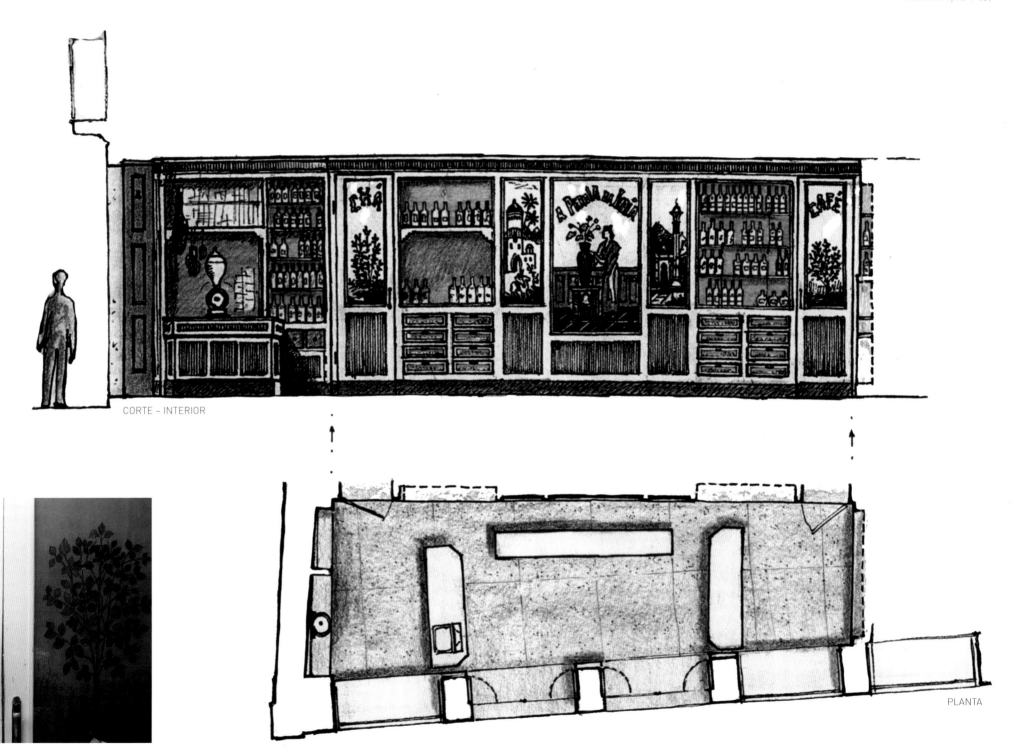

CORTE – INTERIOR

PLANTA

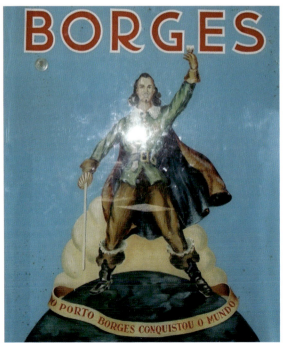

CHÁVENA D'OURO (ALFREDO PEREIRA JORDÃO)
Rua de Mouzinho da Silveira, 130

Ano/Autor: Início do século XX (1934) ■ 1935 / Júlio J. Brito, Arq.
O projecto original da fachada foi alterado provavelmente durante a sua execução, mantendo contudo uma lógica de amplitude da superfície envidraçada, incorporando uma porta central e envolvida por uma cercadura e embasamento em mármore. A esta montra ampla corresponde um interior estreito e comprimido, introduzindo uma dinâmica inesperada no mobiliário que organiza o espaço. Para além da arrumação típica dos produtos, destacam-se os motivos publicitários que consubstanciam um inconfundível valor gráfico inesperado.

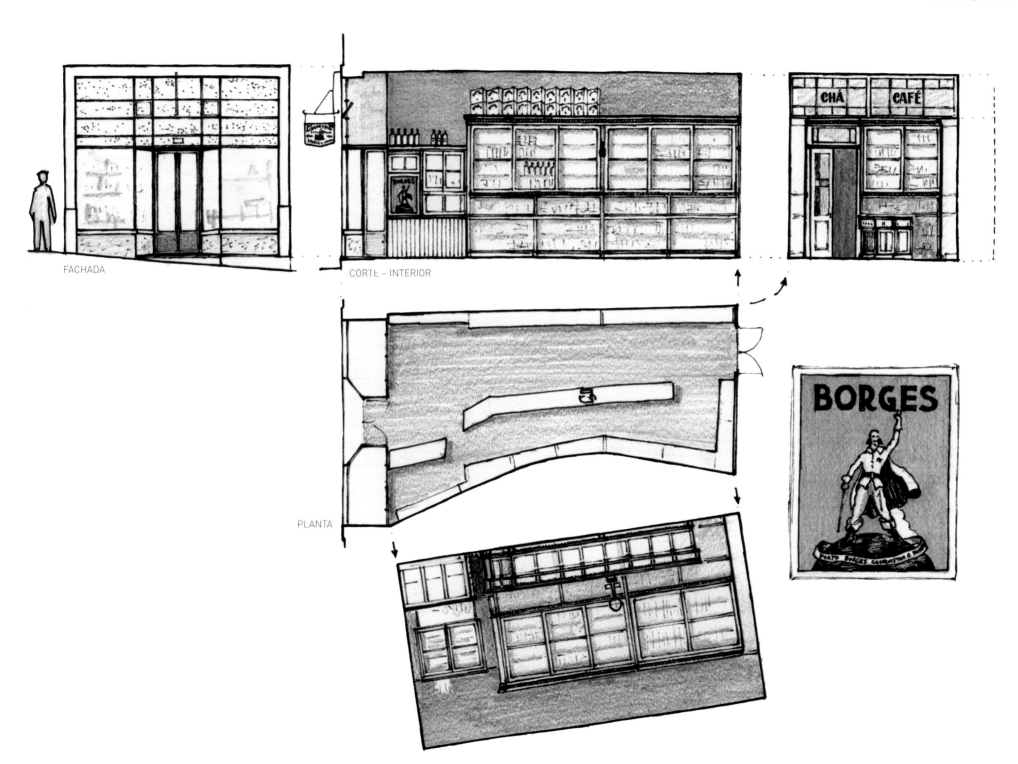

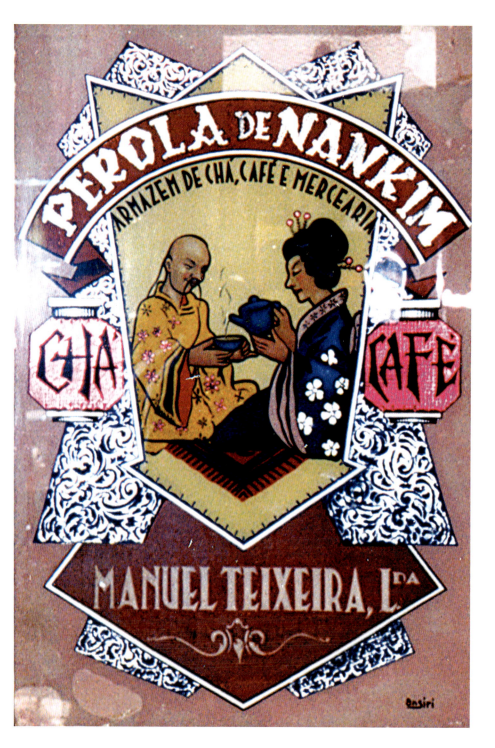

A PÉROLA DE NANKIN (OLIVEIRA, BASTOS & C.ª)
Rua Chã, 87

Ano/Autor: 1938 / Augusto A. C. Rocha, ARS, Arq.
Só a incúria ignorante e quase vandalizadora permite que este projecto de grande qualidade arquitectónica não recupere o seu lugar na dignificação urbana do arruamento. O interior já foi despojado dos principais motivos de interesse, com destaque para a desaparecida pintura no vidro da porta interior, que constituía o emblema deste estabelecimento de venda de chá e de café.

ALIMENTAÇÃO | 143

FACHADA

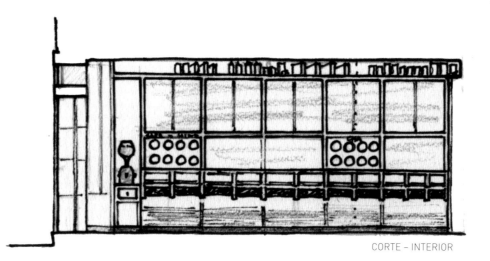
CORTE – INTERIOR

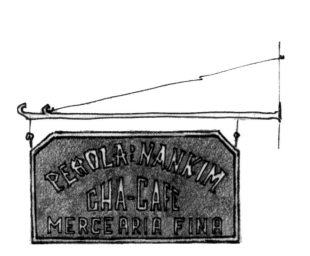

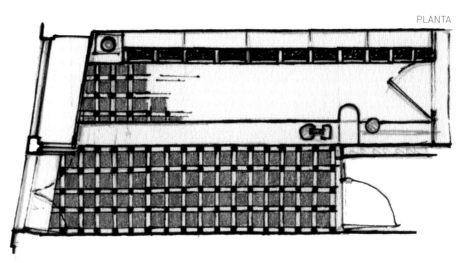
PLANTA

PÉROLA DA BATALHA / actual O CAFEZEIRO
Rua de Augusto Rosa, 40

Ano/Autor: 1938 / Augusto A. C. Rocha, ARS, Arq.
Pertence à mesma firma da loja anterior e com os mesmos autores. O projecto da fachada segue, contudo, esquemas comuns aos estabelecimentos desta época. Neste caso, os valores estão no interior ainda preservado, pela dedicação e cuidado assumidos pelo comerciante, sendo merecedor de uma visita obrigatória para sentirmos a beleza do enquadramento, que devia estar protegido para um futuro também educado pelas memórias do passado.

ALIMENTAÇÃO | 145

FACHADA

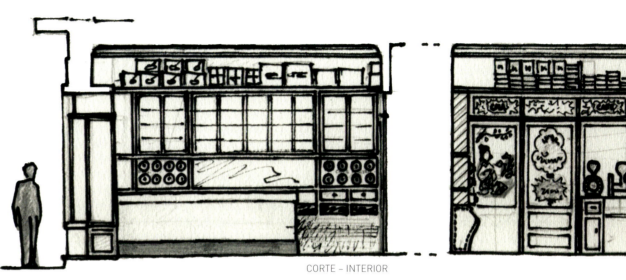
CORTE – INTERIOR

PLANTA

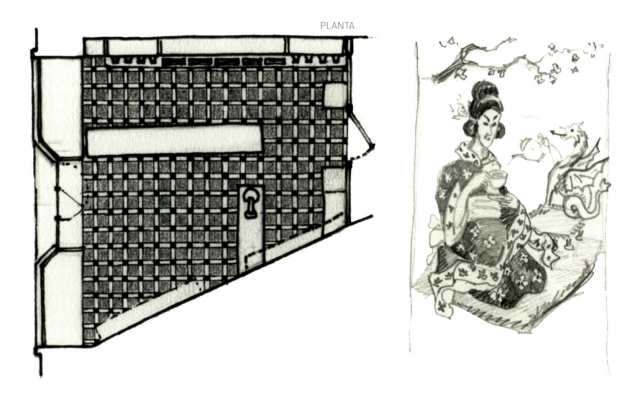

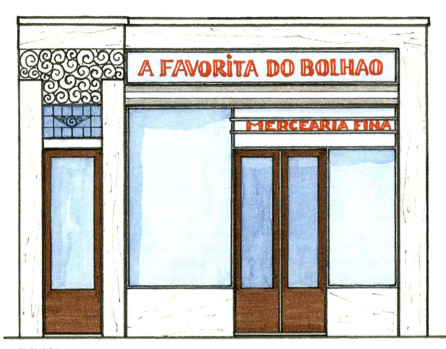

FACHADA

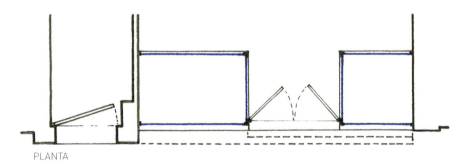

PLANTA

A FAVORITA DO BOLHÃO (J. ARAÚJO & C.ª LDA.)
Rua de Fernandes Tomás, 783

Ano/Autor: 1933 / Manuel Pereira, Arq.
Projecto que demarca com segurança as assimetrias, destacando espaços de montra diferenciados, onde faixas horizontais definem bandeiras que assumem letrismos e pontuais dignificações *art déco*. A fachada foi alterada em 1947 segundo um projecto mais corrente. O interior, polvilhado de ritmos, cheiros e cores, é um refúgio para os sentidos.

FACHADA

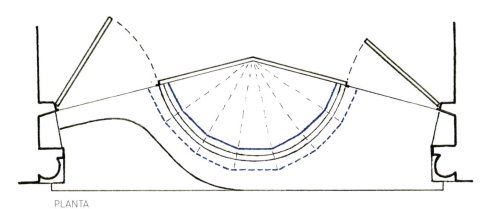
PLANTA

CASA CHRISTINA (VICTOR H. FRANÇA, SUCC. LDA.)
Rua de Sá da Bandeira, 401

Ano/Autor: 1952 / Ernesto F. C. Paiva, Eng.

Casa fundada no longínquo ano de 1804 ligada à produção inédita de chocolate, associando posteriormente a torrefacção de café. Em 1813 a designação honra o nome da S.ra D. Christina Ribeiro, assistindo-se ao crescimento de uma marca de café, hoje consolidada. O projecto apresentado corresponde a uma substituição-demolição da anterior *devanture* metálica. O desenho arquitectónico incomum destaca um tambor inclinado em vidro, ladeado por duas entradas recuadas, rematado por uma pala com a designação do estabelecimento. Foi demolida nos anos 80, reaparecendo no início do do século XXI com a recriação da *devanture* em ferro.

SUPERMERCADO CUNHA
Avenida de França, 543 < Rua Domingos Sequeira

Ano/Autor: 1946 / Arménio Losa, Arq., Cassiano Barbosa, Arq.
Os autores responsáveis por este projecto assinam algumas das obras mais notáveis da arquitectura moderna, evoluindo sempre de forma crítica na procura de novos rumos até ao final das suas carreiras. Apresentam-se os vários projectos até à forma construída, pressentindo-se a incapacidade de manter o recuo da fachada que lhe daria um carácter mais expressivo. O edifício assume-se como um muro rasgado por uma faixa horizontalizante interrompida pelas portas e isolando duas garagens nos extremos. A cobertura plana avança e transforma-se em pala protectora.

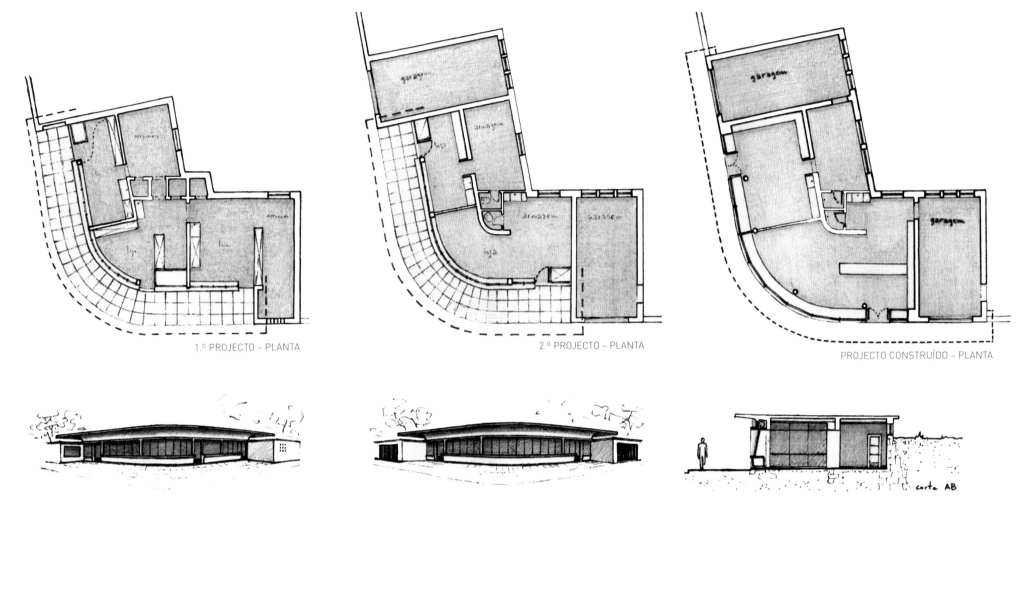

1.º PROJECTO – PLANTA 2.º PROJECTO – PLANTA PROJECTO CONSTRUÍDO – PLANTA

corte AB

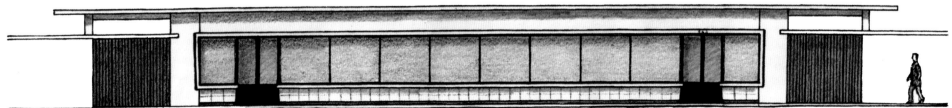

PADARIA BIJOU
Rua do Duque de Loulé, 160

Ano/Autor: 1898 / Pimentel Sarmento, C.O.P.
Sumptuoso edifício que dignifica o significado do alimento essencial. O monumental edifício ecléctico oferecia, ao fundo do seu grandioso salão, três fornos emoldurados de pilastras e frontões curvos interrompidos. O proprietário afirma a sua riqueza na habitação vizinha, conhecida por «Palacete Bijou». O interior foi transformado e adaptado a escritórios de uma empresa pública, mas a sua memória está presente em todas as padarias onde se vende o «bijou».

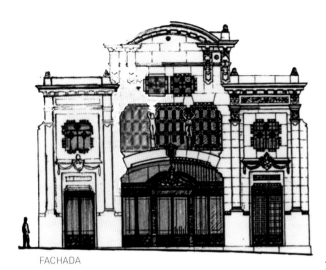
FACHADA

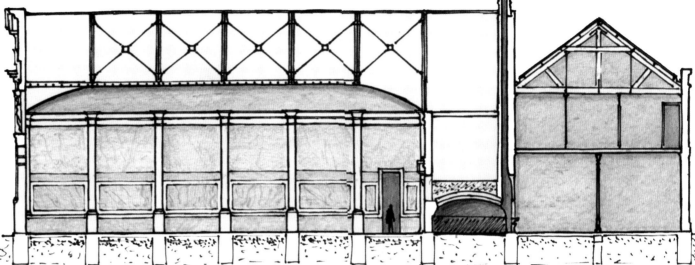
CORTE LONGITUDINAL

CORTE TRANSVERSAL

FACHADA POSTERIOR

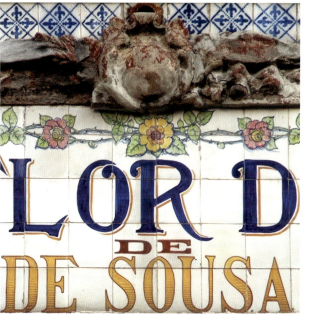

PADARIA FLOR DO PARAÍSO (JOAQUIM DE SOUSA MENEZES)
Rua do Paraíso, 270

Ano/Autor: Início do século XX

Estabelecimento que dignifica com simplicidade o arruamento, revestindo os vãos a mármore claro, sendo sobrepujado superiormente por um espaço emoldurado a cimento onde se inserem azulejos com inscrições comerciais e decorativas. Os letrismos arte nova são envolvidos por «grinaldas» horizontais e conjuntos florais que germinam em espigas, ganhando colorido e expressão com a aproximação do olhar.

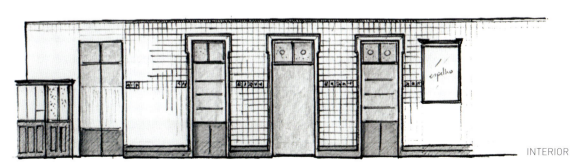

INTERIOR

PADARIA TABOENSE
Rua da Senhora da Luz, 266 < Rua do Alto de Vila

Ano/Autor: 1922

O edifício reservava no seu interior uma surpresa linear: um deslumbrante friso de azulejos com motivos e paisagens rurais holandesas, intercalando cenas doces e ternas da vida campestre com a melancolia bucólica de barcos, moinhos e pontes móveis. Incredulamente, o edifício foi recuperado na viragem do século, tendo os azulejos desaparecido.

PADARIA
Rua de D. João IV, 840-842

Ano/Autor: 1923
Loja encerrada há poucos anos, possui um interior que merecia ser salvaguardado através de uma recuperação criteriosa. A caixilharia da fachada foi substituída, não permitindo adivinhar a surpresa que provoca o seu interior com revestimentos parietais azulejares, pontuados de espigas, laços e cachos de flores pingentes, e um tecto geométrico com sugestivas decorações de formoso efeito.

TECTO

CORTE – INTERIOR

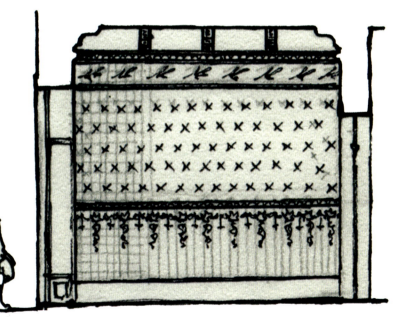

FACHADA

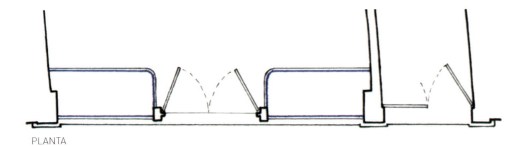
PLANTA

PADARIA BARBOZA
Rua dos Mártires da Liberdade, 214-218

Ano/Autor: 1924 / J. Moreira da Silva, C. Nogueira Pontes, M.Ob.
A fachada da antiga padaria ainda existe, com pequenas alterações em relação ao projecto original, seguindo o usual esquema tripartido de porta central ladeada por montras e incorporando no desenho global da *devanture* a porta de acesso à habitação. Esta fachada de madeira está decorada com informação ecléctica.

FACHADA

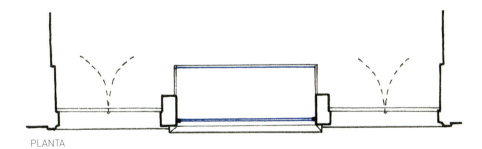

PLANTA

PADARIA (MAIA & GARCIA)
Largo do Moinho de Vento, 1

Ano/Autor: 1923 / António Alves da Silva, M.Ob.

A partir da crise da Primeira Grande Guerra Mundial iniciou-se um processo associativo das padarias que provocou uma renovação das fachadas e dos interiores, recorrendo aos revestimentos cerâmicos por imperativos higienicistas. O uso do cimento nas fachadas vulgarizou-se, permitindo novas possibilidades decorativas, como nesta padaria desaparecida, numa zona em que a toponímia reforça o sentido da existência desta tipologia comercial.

FACHADA

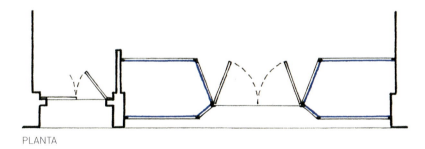

PLANTA

PADARIA COSTA CABRAL
Rua de Costa Cabral, 137-141

Ano/Autor: 1932 / José F. Peneda, Arq.

O autor é um dos melhores representantes do primeiro modernismo arquitectónico portuense com uma vasta obra não divulgada e, consequentemente, pouco conhecida e protegida. Projectava uma *art déco* de linha recta com uma noção de equilíbrio entre os espaços e os materiais, recorrendo à força gráfica das texturas, dos letrismos, das caixilharias e serralharias. Esta loja corresponde a uma renovação total da anterior padaria ecléctica, e também ela desapareceu absorvida pelas novas correntes estéticas.

PADARIA FLOR TABOENSE
Rua das Fontaínhas, 161

Ano/Autor: 1934 / António F. S. Janeira, Arq.
Loja demolida no início do século XXI. O interior, de pavimento axadrezado, era decorado a frisos de azulejos com séries de paisagens rurais holandesas e cestinhas cheias de flores que recebem borboletas inspirando o suco doce do néctar.

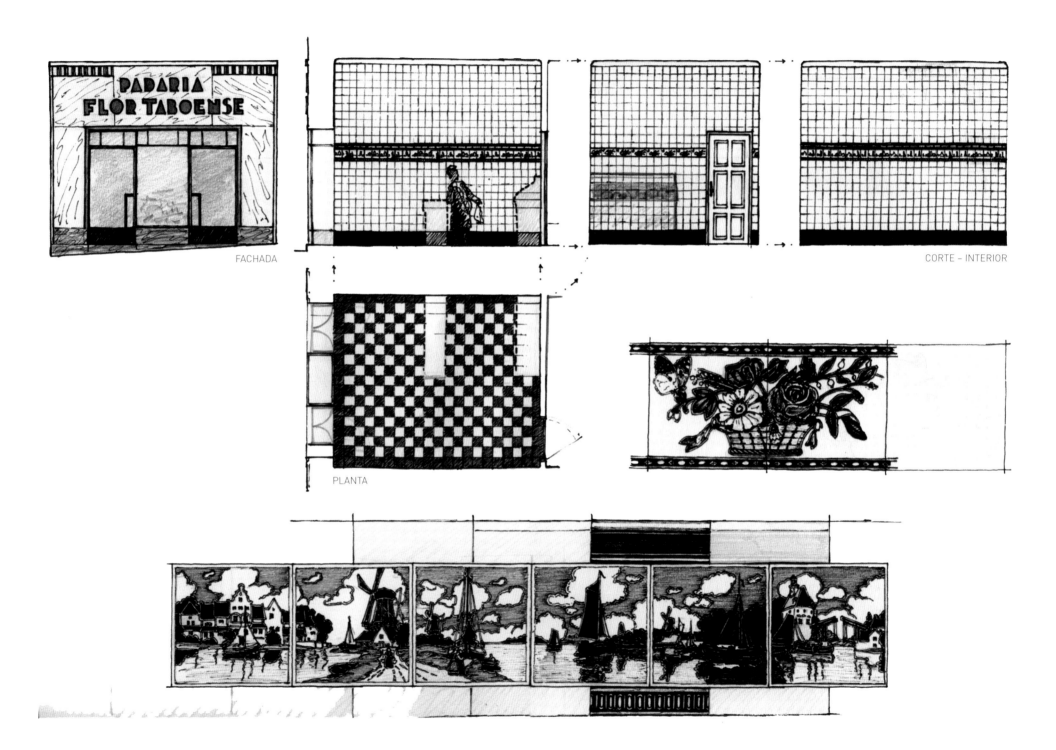

160 | ALIMENTAÇÃO

FACHADA

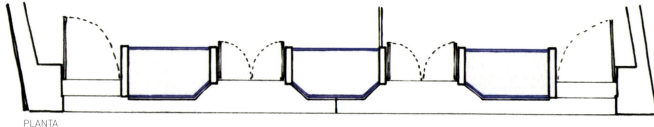
PLANTA

PADARIA-CONFEITARIA CUNHA & SOBRINHO
Rua dos Mártires da Liberdade, 278-286

Ano/Autor: 1937 / Aucíndio F. dos Santos, Arq.
Esta fachada comercial (inserida num banal edifício do século XIX) era um elemento arquitectónico qualificado, tendo sido demolido em 2007. A fachada definia todo o piso térreo, englobando lateralmente as portas de acesso às habitações e enquadrando o espaço vítreo, facetado nas zonas interrompidas pelas duas entradas do estabelecimento. Foi uma padaria importante e reconhecida pela qualidade dos seus produtos, identificados nos embrulhos pelo carimbo figurativo da empresa.

ALIMENTAÇÃO | 161

FACHADA

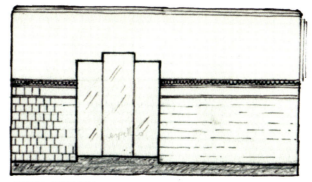
CORTE – INTERIOR

PLANTA

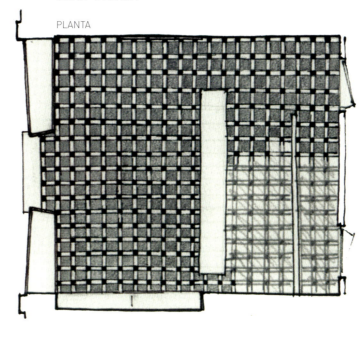

PADARIA FLOR DE PARIS
Rua de Costa Cabral, 34-36

Ano/Autor: 1938 / Joaquim Mendes Jorge, Eng.
Loja, hoje encerrada, com uma fachada comum dos anos 30 e um interior presenteado nos efeitos geométricos induzidos pelos mosaicos do pavimento. Os envidraçados de coloridos martelados envolviam as portas interiores, e as paredes revestidas a azulejos eram rematadas por um friso de tons verde-azulados, recordando o tempo da arte nova.

SALSICHARIA INTERNACIONAL / actual CASA HORTÍCOLA
Rua de Sá da Bandeira, 304 < Rua Formosa

Ano/Autor: 1914-1918

A localização comercial estratégica da salsicharia, no ângulo de maior visibilidade do Mercado do Bolhão, não foi suficiente para consolidar o negócio, que viria a ser ocupado em 1921 pelo empreendedorismo de António Moreira da Silva e sua Casa Hortícola. Este, reconhecendo a elegância estética e virtuosa da anterior salsicharia, manteve o espaço original. Tudo concorre para a apelação dos sentidos, desde o estranho candeeiro que ilumina os estuques marmóreos, ao lavatório que relembra a antiga função, até aos painéis azulejares com cenas de montarias, escondidos pelas caixinhas de sementes e bolbos coloridos. Este espaço comercial devia ter uma classificação protectora específica no âmbito do património arquitectónico.

PLANTA / TECTO

CORTE – INTERIOR

TALHO (COMPANHIA UTILIDADE DOMÉSTICA)
Rua da Senhora da Luz, 205-211

Ano/Autor: 1913 / Manoel F. S. Janeira, M.Ob.
No início do século XX os talhos passam por um esquema de organização associativa semelhante ao das padarias, mas com uma preocupação higienicista mais ampla, desde os matadouros à distribuição e locais de venda.
A fachada, delimitada por pilastras e platibanda, incorporava uma *devanture* em ferro fundido, entretanto desaparecida. O espaço foi transformado em café.

FACHADA

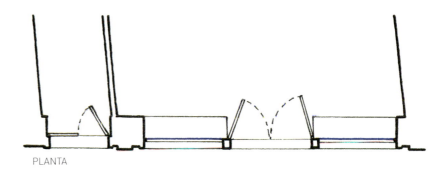

PLANTA

FACHADA

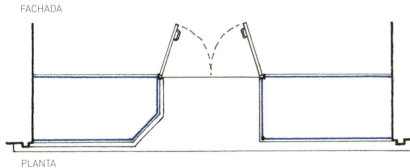

PLANTA

SALSICHARIA DO PORTO (ANDRADE & VIEIRA)
Rua de Sá da Bandeira, 423

Ano/Autor: 1933 / António de Brito, Arq.
Excelente projeto do arquitecto António de Brito, que na época da sua construção era director técnico da Companhia Industrial Marmorista. O geometrismo assimétrico da fachada era informado em modelos europeus onde se procura uma simplicidade complexa. Adivinhava-se a sua presença no importante arruamento ao fim da tarde e noite, com o estabelecimento iluminado denunciando os letrismos e as caixilharias. Foi alterado na década de 60 e demolido posteriormente.

FACHADA

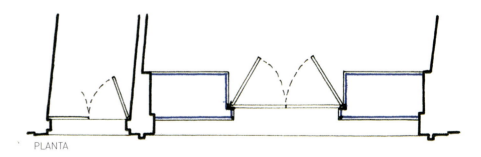

PLANTA

TALHO E SALSICHARIA JACINTO
Rua de Cedofeita, 217

Ano/Autor: 1935 / Arménio Losa, Arq., Aucíndio F. S., Arq.
Fachada comum na época, mas projectada com a qualidade usual em todas as obras onde participa Arménio Losa, controlando os espaços, as caixilharias e os letrismos de força telúrica. Foi demolida no último quartel do século XX.

TALHO
Avenida de França, 859 < Rua Pedro Hispano, 1444

Ano/Autor: 1948 / Rogério S. Azevedo, Arq.
Este edifício térreo comercial, acompanhado por outro existente na mesma avenida, constituem momentos arquitectónicos que evidenciam uma notória habilidade na resolução dos chanfros, num contexto urbano de residências isoladas ou geminadas. A correcta inserção volumétrica em lote agudo valoriza a mestria das intenções arquitectónicas. Contudo, não resiste à tentação estilizada na colagem de elementos «portugueses». No interior o pavimento era escuro, fazendo ressaltar o brilho ritmado de estrelas e luas metálicas. Encerrou no início dos anos 90, sendo posteriormente ocupado e profundamente alterado no interior.

ALIMENTAÇÃO | 167

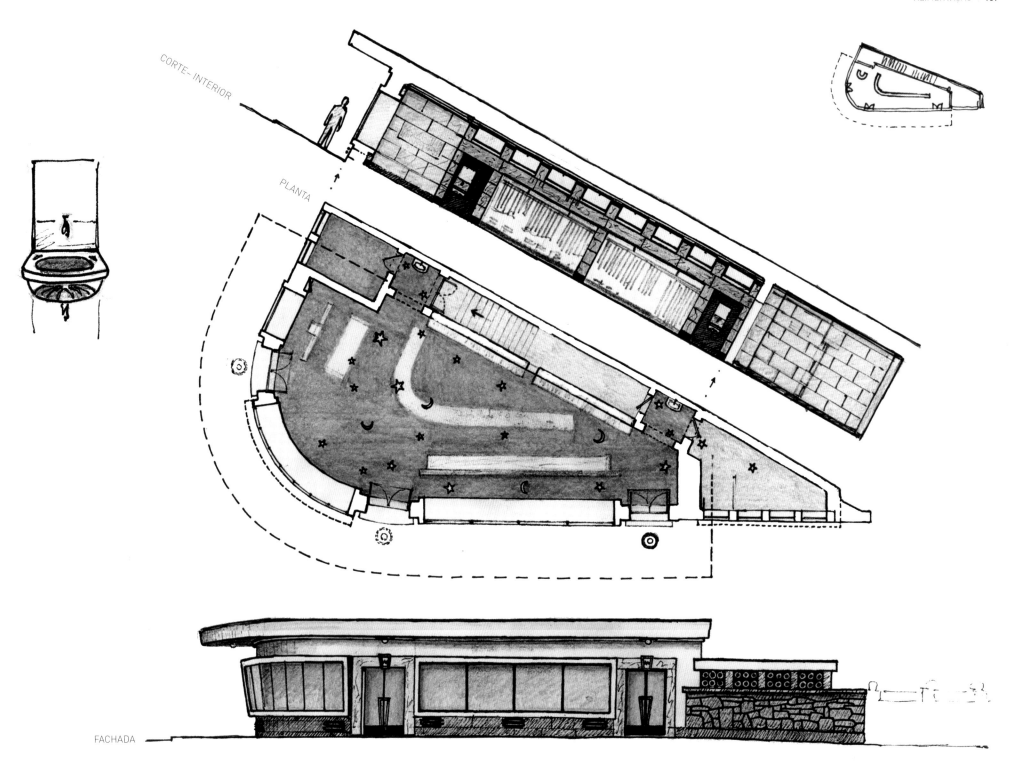

FACHADA

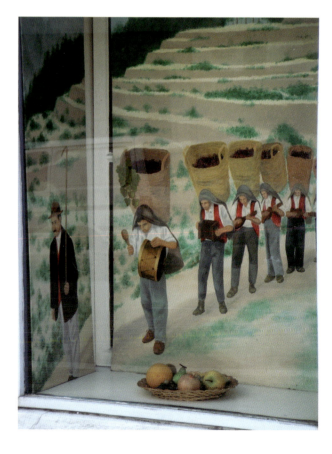

CASA CAMÉLIA
Rua de Camões, 417 < Trav. da Regeneração

Ano/Autor: Início do século XX

A evolução do tempo parado cheira-se nesta loja que abdica das montras, ocupadas de singelas pinturas, da oliveira na planície, da garrafa e cachos de uvas, do enfileirado labor carregoso do Alto Douro sempre assistido por um estático pratinho com frutas.
A desarrumação arrumada do interior ordena sequências enfileiradas de produtos, interrompidas por afectivas fotografias, galhardetes e troféus desportivos.

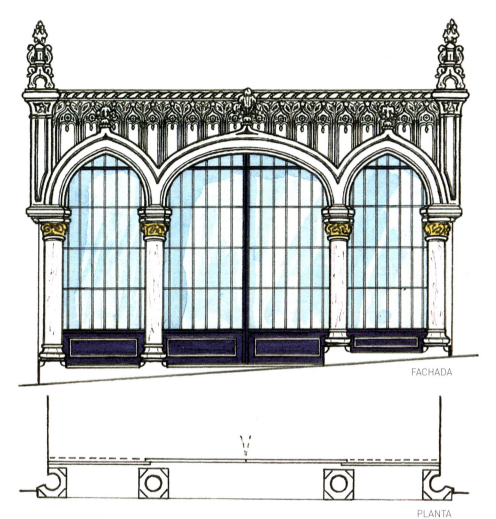

FACHADA

PLANTA

A PARCERIA VINÍCOLA DO NORTE
Rua do Bonjardim, 109-113

Ano/Autor: 1922 / Amândio D. Pinto, Eng.
Uma das poucas fachadas comerciais neogóticas existentes, com colunas e capitéis apoiando arcos quebrados laterais e um arco abatido ao centro. O remate superior horizontal entre pináculos é assistido por decorações relevadas de arquinhos ogivais e elementos vegetalistas. O estabelecimento permanece infelizmente desocupado há cerca de 20 anos, desesperando por uma urgente classificação como valor patrimonial e arquitectónico.

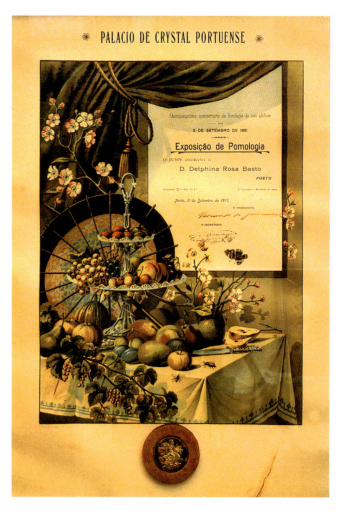

CASA MARGARIDENSE («PÃO-DE-LÓ»)
Travessa de Cedofeita, 20

Ano/Autor: 1890

Estabelecimento raro pelas suas características de adocicado ambiente interior e pelo relevo cultural da tradição do pão-de-ló de Margaride (Felgueiras) que tornava a pequena travessa onde estava localizado um pretexto quase iconográfico-cultural, de passagem turística. O acolhedor espaço da loja estava repleto de tigelinhas com geleia e marmelada em armários, apenas interrompidos pelos certificados medalhados das várias exposições em que participaram. Fechou com lágrimas em 2007, tendo-lhe já sido retirada a singular tabuleta em forma de pão-de-ló. Reabriu pouco depois, mantendo algumas características do espaço original.

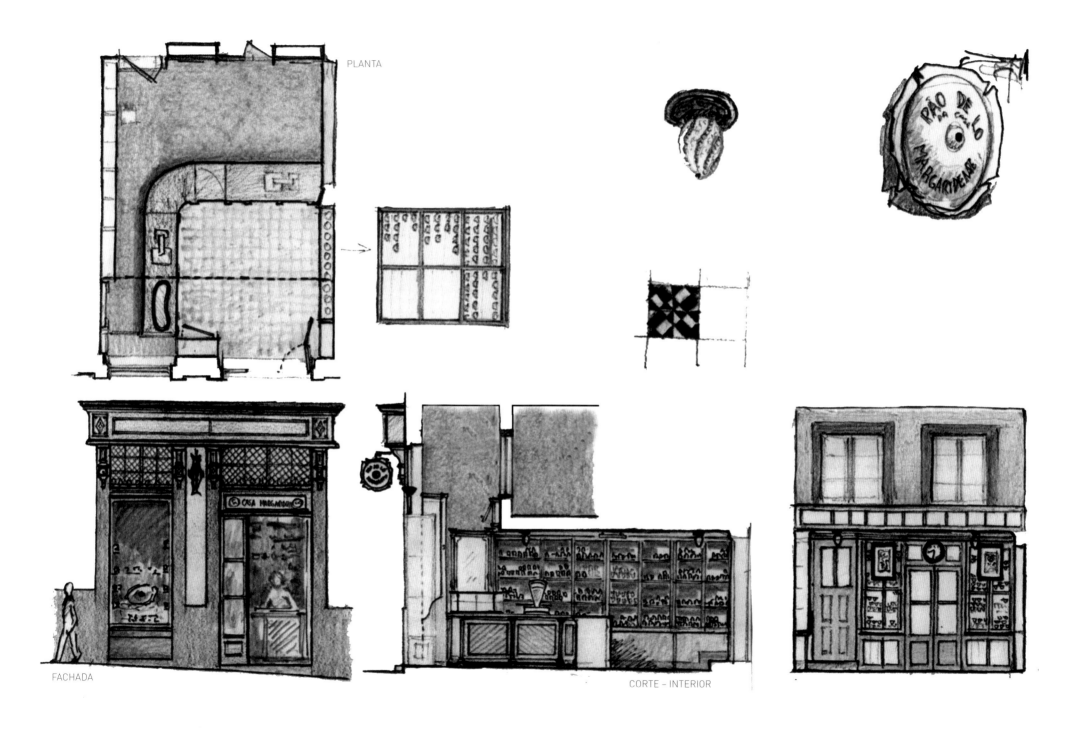

FACHADA

SOCIEDADE INDUSTRIAL ALIANÇA
Rua dos Clérigos, 40-44

Ano/Autor: 1921 / Borges de Oliveira, Arq.
Representação comercial de uma das mais importantes indústrias alimentares consagradas no fabrico de bolachas. O projecto apresentado está informado de uma linguagem ecléctica corrente. A fachada existe com algumas alterações, tendo a grande montra sido ocupada por uma loja que descaracterizou o conjunto.

FACHADA

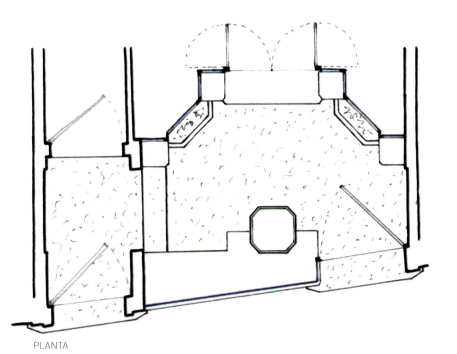
PLANTA

AVELEDA, LDA. (FERNANDO GUEDES)
Rua dos Clérigos, 80

Ano/Autor: 1930 / Manuel Marques, Arq.
No final do século XIX, Manuel Pedro Guedes constrói o sonho luminoso da organização produtiva dos terrenos agrícolas em redor de Penafiel, sua terra natal. O processo empreendedor teve continuidade através do seu filho Fernando, que pressentiu a necessidade de uma visibilidade própria, assumindo o processo de comercialização com um estabelecimento em local estratégico. Nasce assim um extraordinário projeto de arquitectura moderna que temporalmente antecipa em 20 anos a lógica de ampliação do espaço expositivo através de um jogo de montras recuadas. A loja foi mais tarde alterada e posteriormente demolida.

MANTEIGARIA VIANEZA (FERREIRA LEITE & C.ª)
Praça de Carlos Alberto, 86

Ano/Autor: 1928 / Joaquim Mendes Jorge, Eng.
Projecto de cariz ecléctico tardio num tipo de desenho arquitectónico desenvolvido até à exaustão pelo autor, provavelmente em parceria com o arquitecto Alberto F. Gomes, numa época em que se começavam a afirmar as primeiras rupturas modernistas. A fachada foi alterada nos anos 60 e pouco depois demolida.

FACHADA

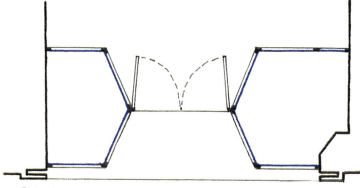
PLANTA

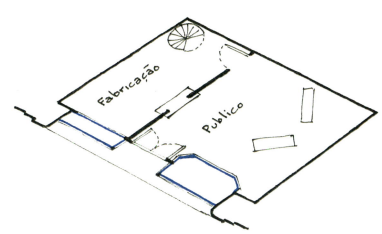

FACHADA

MANTEIGARIA LONDRINA (OLIVEIRA E LEITE, LDA.)
Rua Formosa, 288

Ano/Autor: 1935 / J. Emílio S. Moreira, Arq.
Fachada moderna de cuidado desenho, revestida a mármore envolvendo o espaço vítreo, que segue o usual esquema tripartido, marcado por faixas horizontais que destacam a bandeira onde se inserem os letrismos.
O higienizado espaço interior caracterizava-se por uma divisória envidraçada, que separava o espaço de fabrico da zona pública de espera. Foi demolida na última década do século XX.

FACHADA

CORTE

ESTAMPARIA DO BOLHÃO
Rua de Fernandes Tomás, 326-348

Ano/Autor: 1850 (edifício) ▪ 1910 (*devanture*)

Grandioso estabelecimento industrial e comercial que ficou na memória colectiva dos portuenses. Para além das suas produções têxteis, vendia um pouco de tudo no enorme espaço que foi embelezando frente à nova centralidade comercial da zona do Bolhão.

O projecto apresenta a renovação da fachada no ano de 1910, dignificando o edifício com uma platibanda onde se insere um relógio entre grinaldas e volutas, assim como uma *devanture* e marquise em ferro e vidro. O pavoroso incêndio de 16 de Julho de 1924 deixa tudo em escombros, abrindo caminho ao prolongamento urbanístico do tramo moderno da Rua de Sá da Bandeira.

FACHADA

CAMISARIA CONFIANÇA (ANTÓNIO DA SILVA CUNHA)
Rua de Santa Catarina, 181

Ano/Autor: 1883-1893 / Joel da Silva Pereira, Arq.

Destacado industrial e comerciante, António da Silva Cunha funda em 1883 a Camisaria Confiança de forma cautelosa, apenas com uma máquina de costura e três operários.

A afirmação no mercado das rouparias brancas ganhou visibilidade com a construção do robusto edifício em 1893 na Rua de Santa Catarina, onde chegaram a trabalhar nas suas oficinas cerca de 1000 costureiras, produzindo principalmente para o mercado nacional, colónias e Brasil. Nos anos 30 a frontaria foi reformada e no final dessa década abre um novo estabelecimento na parcela vizinha, onde se encontra actualmente a Beigel. Foi concorrido lugar de encontro até aos anos 70, disponibilizando uma enorme variedade de produtos, vindo a encerrar pouco depois.

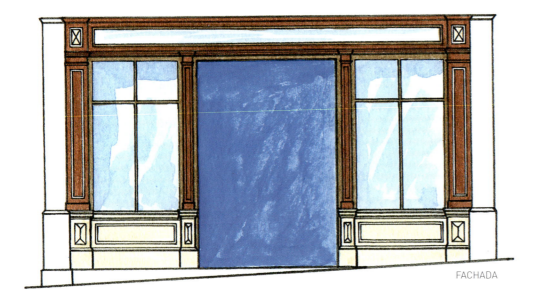
FACHADA

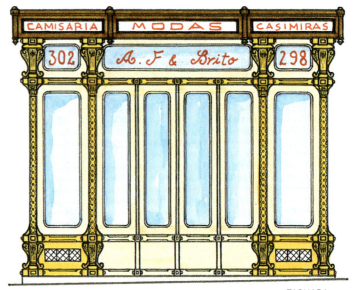
FACHADA

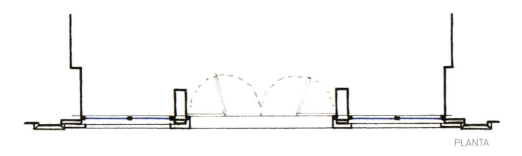
PLANTA

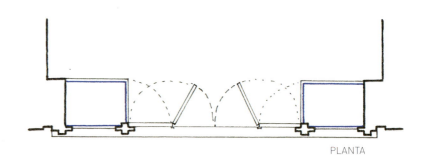
PLANTA

MANUEL DA COSTA FIUZA
Rua de Sá da Bandeira, 191

Ano/Autor: 1894
Loja de confecções que evidencia a nova lógica das fachadas comerciais, recorrendo aos múltiplos módulos produzidos pelas fundições. As vigas de ferro suportam a fachada superior, libertando o piso térreo para a instalação de uma *devanture* com grandes envidraçados enquadrados por pilastras apaineladas ou colunas metálicas. Foi demolida no primeiro quartel do século XX.

CAMISARIA A. FARIA & BRITO
Rua Fernandes Tomás, 298-302

Ano/Autor: 1902
Apesar do uso das vigas de ferro suportando a fachada de granito, continuaram a ser construídas *devantures* em madeira. Esta camisaria (já demolida) é um belo exemplo da tradicional arte de marcenaria portuguesa, após um longo percurso de aprendizagem das sucessivas gerações nas encomendas de mobiliário e altares da fase barroca.

FACHADA

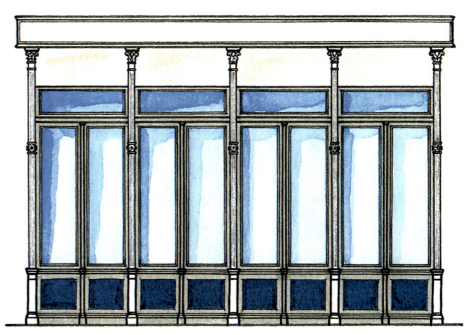
FACHADA

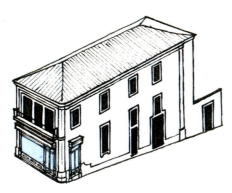

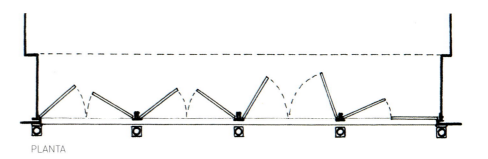
PLANTA

DIAS ALMEIDA & ALBANO
Rua de Cedofeita, 35 < Travessa do Carregal

Ano/Autor: 1907 / António F. M. Ramalhão, M.Ob.

Elegante *devanture* em ferro desenvolvida em dois momentos interrompidos pela pilastra arredondada do cunhal. As portas acompanham esse cunhal, libertando uma espaçosa montra para exposição e entrada de luz. Os tramos definem-se por colunas que apoiam o entablamento saliente, que provavelmente receberia uma grade protectora de enrolar.
A *devanture* está povoada de aplicações decorativas e as bandeiras aceitam letrismos anunciadores sobre o vidro. Foi ingloriamente demolida em 1946.

CAMISARIA OLIVEIRA (MANUEL CAETANO DE OLIVEIRA)
Praça da Liberdade, 15-16

Ano/Autor: 1908 / Manoel F. S. Janeira, M.Ob.

Um dos esquemas mais básicos na definição de *devantures* metálicas é o recurso a uma sucessão múltipla de portas e colunas com capitéis, suportando um entablamento que recebe grade e letrismos. Apesar deste modelo ter sido amplamente usado, na viragem dos séculos XIX-XX poucos sobreviveram até aos nossos dias tornando-se peças arquitectónicas estimáveis. Nesta loja funcionou nos anos 30 o Entreposto Comercial e Industrial do Norte. Posteriormente foi demolida.

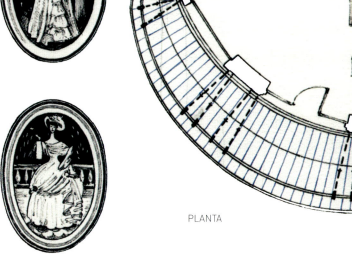

PLANTA

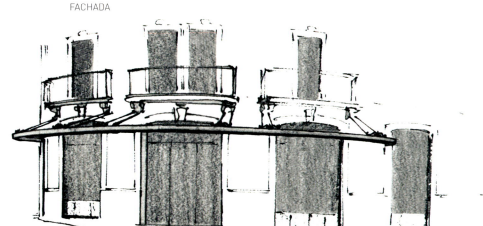

FACHADA

ARMAZÉNS DA CAPELA (A «POMPADOUR»)
Rua dos Carmelitas, 70-76 < Rua de Cândido dos Reis

Ano/Autor: 1904 ■ 1929 / Amoroso Lopes, Arq.

Digno edifício construído em 1904 sob a responsabilidade técnica de Estêvão P. Silva Leitão, para onde se deslocaram os Armazéns da Capela, por motivo da demolição do edifício religioso. Desde o ano de 1929 que ostenta a simplicidade geométrica da maravilhosa marquise em ferro, com vidro fosco e dizeres publicitários a pedirem iluminação, estando todo o conjunto apoiado em tirantes duplos agarrados aos cachorros das varandas. A função protectora face a instabilidades climatéricas aliada a um desenho que insinua a habilidade do arquitecto Amoroso Lopes é merecedora do reconhecimento público como valor arquitectónico. No interior parece terem desaparecido os quadros ovalados com elegantes figurinos da «Pompadour».

FACHADA

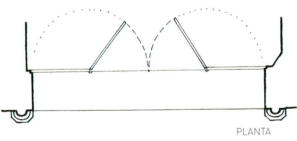
PLANTA

ALFAIATARIA MESQUITA & C.ª
Rua de 31 de Janeiro, 55

Ano/Autor: 1910 / Joaquim F. Barros, M.Ob.
Estreito lote com uma *devanture* de madeira que imita os modelos metálicos. O desenho revela uma expressão libertária nas colunas adossadas de bases bolbosas, seguidas de espirais vegetalistas e estranhos capitéis que suportam um coroamento de ondulantes motivos arte nova. A caixilharia opõe a simplicidade dos quatro prumos de madeira a um singular gesto arqueado. Foi demolida poucos anos após a construção.

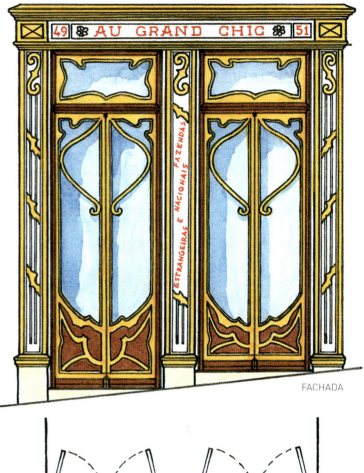
FACHADA

PLANTA

AU GRAND CHIC – ALFAIATARIA (ROCHA CABRAL)
Rua dos Clérigos, 49-51

Ano/Autor: 1911 / Manuel Dias de Carvalho, M.Ob.
Partindo da manutenção dos vãos existentes, o arranjo corresponde a uma simulação de *devanture* através do preenchimento das modinaturas com painéis verticais e um horizontal, nas ombreiras e padieiras respectivamente.
As caixilharias contribuíam para o carácter festivo desta loja demolida em 1934.

FACHADA

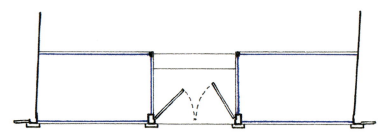

PLANTA

CAMISARIA ELEGANTE (ROGÉRIO, FARIA & C.ª)
Rua de 31 de Janeiro, 43-45

Ano/Autor: 1915 / Marcelino A. Lucas Júnior, M.Ob.
Devanture em ferro segundo a tipologia tripartida, com porta central ladeada por montras, que evidencia uma acção decorativa de alegre presunção dentro de uma lógica arte nova. Este personalizado devaneio foi extinto em 1931.

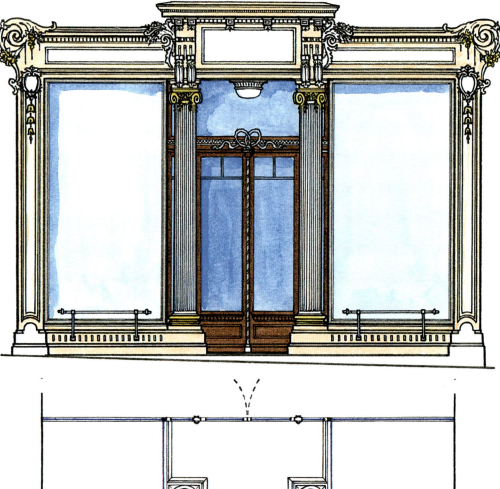

ALBANO RAMOS PAES – LANIFÍCIOS
Rua de Sá da Bandeira, 166

Ano/Autor: 1917 / F. Oliveira Ferreira, Arq. (atribuído)
Projecto de induzida nobreza, dignificando a relação entre transeunte e comerciante. Pela elegância e qualidade do desenho arquitectónico e sua informação estética, poderemos atribuir a F. Oliveira Ferreira a autoria deste projecto não assinado. Infelizmente foi demolido em 1937 para aí se instalar a Casa Africana.

TÊXTEIS E VESTUÁRIO | 183

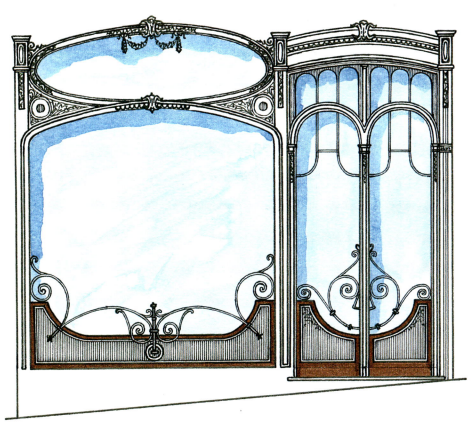

FACHADA

PLANTA

PEDROSO & FILHO / LONDON STYLE
Rua de 31 de Janeiro, 225

Ano/Autor: 1918 / Rogério de Azevedo, Arq., Leandro Moraes, Arq.
Obra influenciada pelo eclectismo de Leandro Moraes mas com a liberdade criativa de Rogério de Azevedo (num dos seus primeiros projectos), produzindo uma solução final incomum dentro da arquitectura comercial portuense. Ao dinamismo excessivo de linhas assimetricamente controladas, associa-se um esforço de pontuação decorativa desnecessária. Contudo, pressente-se o evidente requinte global de uma loja onde esteve instalada a London Style, que renovaria toda a fachada em 1929 segundo linhas modernas.

FERNANDES FALCÃO & LEMOS – FAZENDAS
Rua do Bonjardim, 268-270

Ano/Autor: 1918 / J. V. Lima Júnior, Eng.
O autor é um dos mais seguros executantes no início do século XX, com um gosto pessoal orientado para a afirmação da arte nova. Neste caso, porém, faz uso da informação eclética de cariz classizante, separando os vãos com pilastras que se prolongam num entablamento ritmado de cabeças (coroadas de penachos) e um frontão de volutas ao centro. A loja desapareceu na reformulação urbanística que criou a Praça de D. João I.

F. NOVAIS & C.ª LDA. – MALHAS / MIUDEZAS
Largo dos Lóios, 27-28

Ano/Autor: Início do século XX / Fundição da Victória
Fachada metálica de apainelados com frisos da fundição Victória e uma tabuleta pendular ao centro, compondo uma moldura sobre os panos vítreos que descansam entre caixilharias. O ambiente interior com espelhos e sequências de móveis, de prumos entrelaçados e florões terminais, respira do anterior sucesso comercial e suspira por uma revitalização que parece insensível à dignidade da loja. Merecedora de uma obrigatória visita (enquanto é tempo), também para observar as estantes que «pavoneiam» o colorido das fitas.

TÊXTEIS E VESTUÁRIO | 185

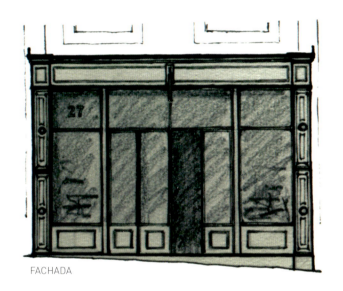
FACHADA

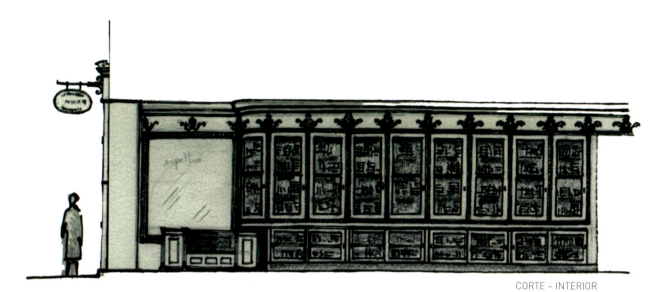
CORTE – INTERIOR

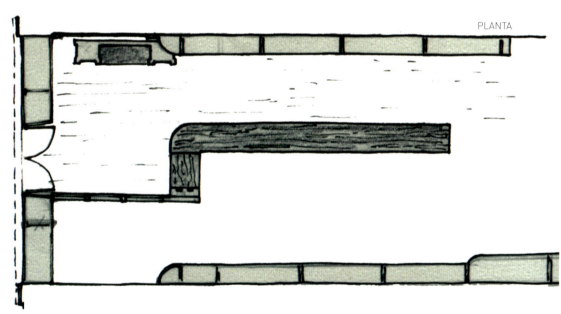
PLANTA

COSTA BRAGA & FILHOS
Rua de 31 de Janeiro, 196

ARTHUR DE VASCONCELLOS, FILHOS / AU PRINTEMPS
Rua de 31 de Janeiro, 186

Ano/Autor: 1919

Na alteração do piso térreo alguns projectos de lojas configuram a união de vários lotes. Neste caso, destaca-se um portal central com um frontão curvo que define a entrada das habitações, acompanhado lateralmente por duas *devantures* em ferro, com um entablamento ecléctico em cimento. As *devantures* foram sendo substituídas ao longo do tempo mantendo, contudo, os entablamentos dignificadores. Seria desejável que as zonas alteradas recuperassem a lógica dos planos de vidro tripartidos pela esbelteza das caixilharias, recriando a oposição de matérias e transparências.

FACHADA

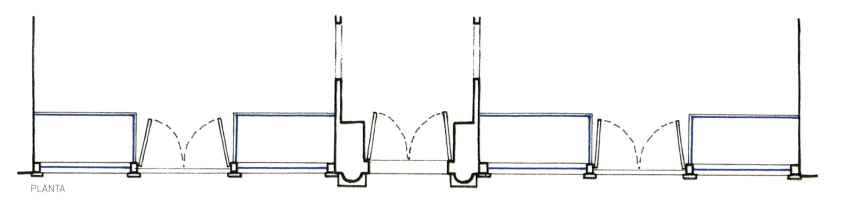
PLANTA

DOMINGOS BACELAR & IRMÃOS
Rua de Santa Catarina, 188 < Rua Formosa

Ano/Autor: 1922 / Leandro Moraes, Arq.

No início do século XX começa a destacar-se pela riqueza e variedade comercial a, quase plana, Rua de Santa Catarina, integrada num conjunto mais vasto de arruamentos que conformam uma grande zona central – a Baixa. Após um período de consolidação urbana, tem início um imparável processo de transfiguração arquitectónica dos pisos térreos, procurando espelhar uma imagem apelativa, competindo por um lugar na afirmação comercial, e recorrendo a personalizadas arquitecturas e estéticas dignificadoras. O local estratégico desta loja, num cruzamento de duas importantes ruas, assume a vaidade de alterar radicalmente um monótono edifício oitocentista. A nova fachada em cimento está animada de eclectismos, reforçando o valor da esquina com um pilar/coluna a definir a dupla entrada, e uma sucessão de grandes vãos arqueados e tripartidos. O projecto tem algumas alterações em relação ao construído, mantendo contudo uma qualidade merecedora de classificação protectora.

TÊXTEIS E VESTUÁRIO | 189

FACHADA

PERSPECTIVA

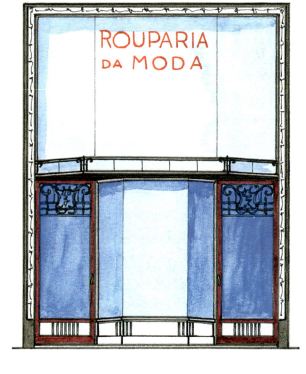

FACHADA

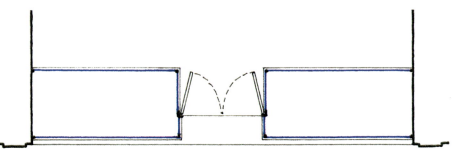

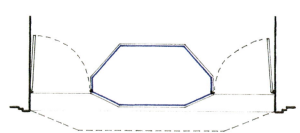

PLANTA

A MEIA D'OURO (CARLOS CUNHA)
Rua de Santa Catarina, 43-45

Ano/Autor: 1928 / João Queiroz, Arq.
Fachada simples, pois era moderno reduzir o projecto arquitectónico a um simplismo geométrico, em oposição aos eclectismos historicistas. Exclui-se toda a ornamentação, reduzida ao efeito da impressão dos caracteres no vidro, fazendo transparecer as virtudes intrínsecas dos materiais. Toda a fachada é remodelada em 1949 segundo um projecto do arquitecto Carlos Neves.

ROUPARIA DA MODA (JOSÉ DA COSTA E CASTRO)
Rua de Santa Catarina, 97

Ano/Autor: 1929 / Amoroso Lopes, Arq., António J. Carvalho, M.Ob.
Nas zonas de maior pujança comercial, o 1.º andar também é ocupado pela actividade do respectivo estabelecimento. Este facto é reflectido nos projectos de arquitectura, que ganham uma amplitude e visibilidade urbana, permitindo um apelo sugestivo às intenções personalizadas do traço arquitectónico. Este projecto de Amoroso Lopes dá-nos uma forte sensação de delicadeza na omissão das caixilharias, que apenas a sombra dos recuos oblíquos denuncia, destacando uma ampla montra (com o nome da loja) sobre um alpendre saliente em ferro e vidro iluminado. Foi alterada e posteriormente demolida no final dos anos 60.

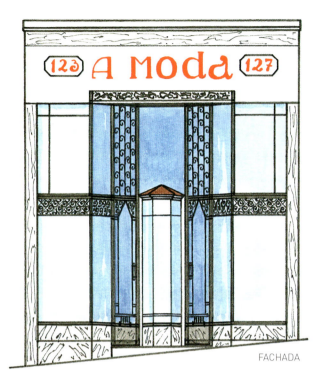

FACHADA

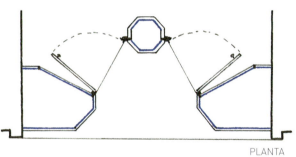

PLANTA

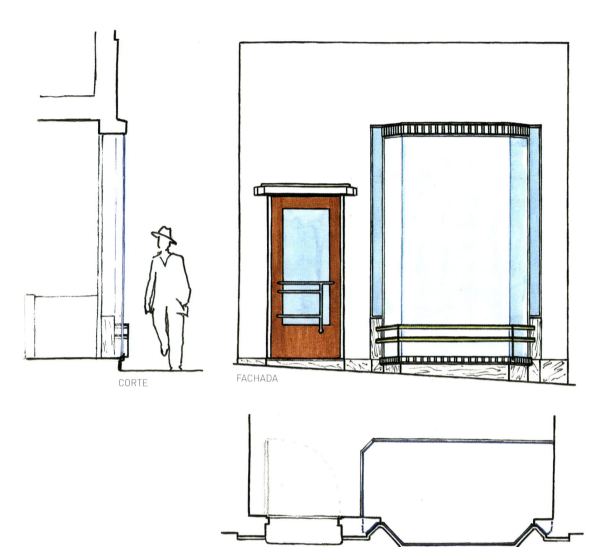

CORTE — FACHADA — PLANTA

A MODA (SOUZA & MAGALHÃES)
Rua de 31 de Janeiro, 123

Ano/Autor: 1929 / José F. Peneda, Arq.
Fachada projectada para atrair a atenção do transeunte, através de aparatoso efeito de um falso pilar octogonal (vitrine), que marca o centro, acompanhado de duas portas adjacentes e montras laterais facetadas. O precioso tratamento decorativo de ondulações circunscritas no vidro relembra os lampejos de um círio. Este importante reflexo da *art déco* portuense desapareceu na década de 60 do século XX.

ANTÓNIO BRANCO RIBEIRO DE SOUZA
Rua de 31 de Janeiro, 86-88

Ano/Autor: 1931 / Manuel Marques, Arq.
Pequeno projecto revelador da mestria do seu autor, que, na procura incessante de novos caminhos, sugere uma nova lógica de apresentação comercial. A uma dissimulada e pequena porta (como se fosse a entrada da habitação) corresponde uma destacada montra, que se oferece facetada com grades protectoras de singular beleza vertical. Esta montra também pretendia impor a excelência dos produtos, afirmando o desprezo pela comum ocupação dos pisos térreos comerciais com a permeabilidade luminosa do vidro. A intenção futurista do projecto não foi aceite pelo requerente, que logo o substituiu por outro, segundo um esquema banal de autor igualmente banal.

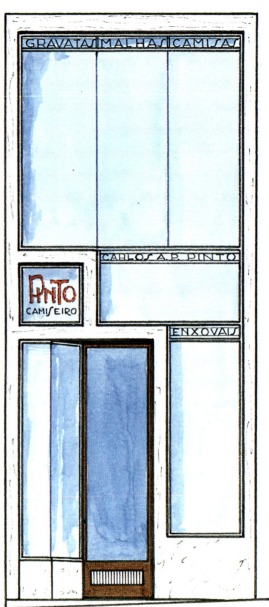

FACHADA

PINTO CAMISEIRO / actual LIVRARIA CAIXOTIM
Rua dos Clérigos, 23

Ano/Autor: 1930 / Jorge Manuel Viana, Eng.

Jorge Manuel Viana é o autor mais decididamente moderno do Porto. Partindo de simples esquemas geométricos, subverte-os depois em busca de espacialidades, planos desencontrados e efeitos lumínicos, recorrendo a informada técnica e vocabulário arquitectónico. No acentuado declive da rua, o imprevisível gesto de fraccionar em três partes o reduzido espaço do lote assume uma procura de verticalidade, reforçada com a transposição da montra principal para o piso superior. Esta montra pode ser lida como um plano quadrangular, apesar do corte do vidro sugerir (de modo subtil) o prolongamento das linhas verticais da base. A moldura envolvente recorta-se, escalonada, demarcando a montra facetada e a estreita porta sombria. No espaço interior apenas uma expressiva porta, de cantos superiores cortados, nos conduz a uma escada preexistente de acesso ao 1º andar.

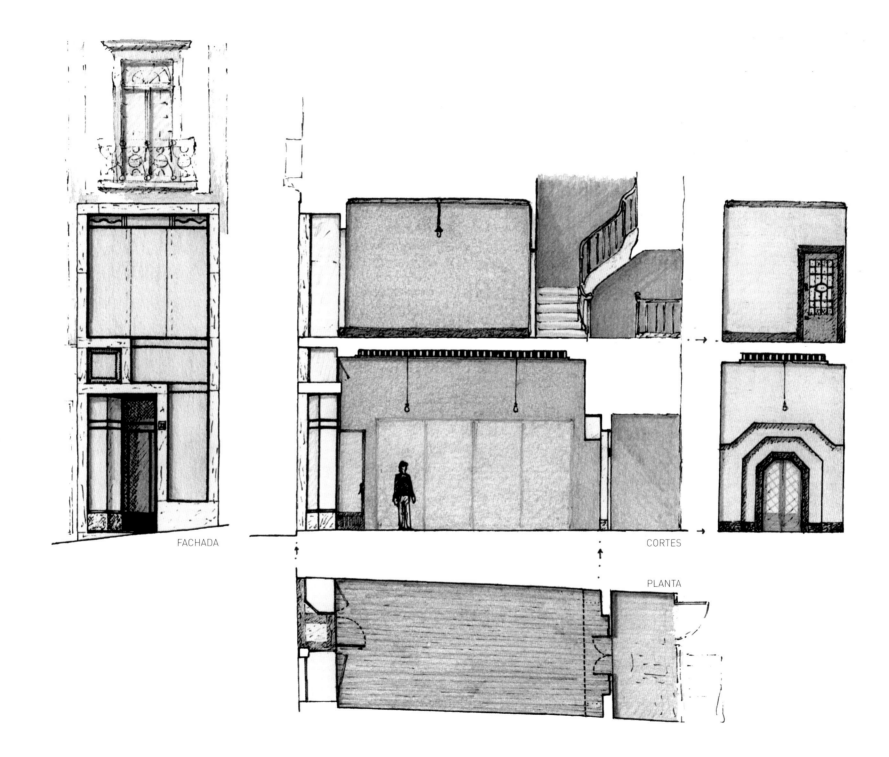

FACHADA CORTES PLANTA

FACHADA

CAMISARIA GOMES
Rua de 31 de Janeiro, 24

Ano/Autor: 1932 / Manuel Marques, Arq., Amoroso Lopes, Arq.
O encontro feliz de uma dupla de arquitectos que marcará de forma cosmopolita a urbe portuense. O projecto afirma-se como um objecto que plasma transparências, suportadas por linhas geométricas numa decomposição articulada. A sua perturbadora modernidade é merecedora da perenidade, em simbiose com a envolvente regulada nos séculos XVIII-XIX.

CORTE – INTERIOR

FACHADA

PLANTA
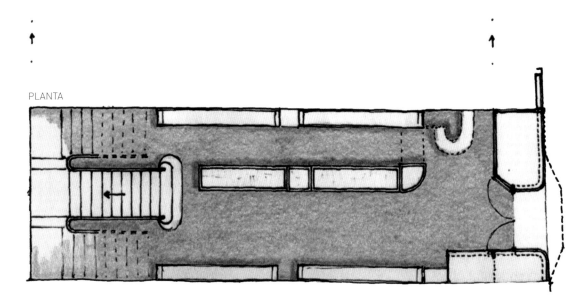

FACHADA

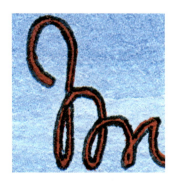

FACHADA

PLANTA

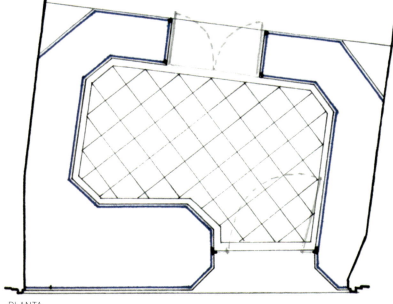

PLANTA

ESPELHO DA MODA (F. DA SILVA CUNHA & FILHOS)
Rua dos Clérigos, 52

Ano/Autor: 1930 / João Queiroz, Arq. ■ 1945 / Amoroso Lopes, Arq.
O laborioso percurso de F. da Silva Cunha desde que chegou à cidade do Porto (1893) com 13 anos, fazendo uma rápida ascensão como marçano, caixeiro e finalmente estabelecendo-se com a fundação em 1903 do Espelho da Moda, granjearam-lhe o respeito e admiração no meio comercial. Aprofundando constantemente a sua cultura comercial, inaugura uma especialização (Casa das Meias) que fará escola por vários estabelecimentos de moda.
Neste caso, a modernidade tem sempre efeito nas várias fachadas da loja, desde a inicial *devanture* ecléctica demolida pelo projecto de João Queiróz, até à renovação moderna de 1945 que abre caminho ao futuro promissor do pós-guerra mundial, não resistindo, porém, às crises do final do século XX.

CORTE – INTERIOR

TECTO

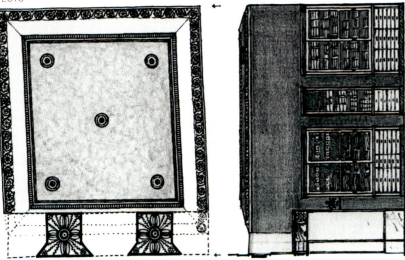
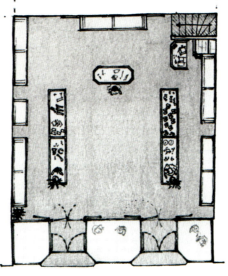

PLANTA

CAMISARIA ELEGANTE (MESQUITA & GOMES)
Rua dos Clérigos, 9-13

Ano/Autor: 1933 / Alberto F. Gomes, Arq., Joaquim M. Jorge, Eng.
Ingloriamente demolida no final do século XX, a loja, não sendo extraordinária do ponto de vista estritamente arquitectónico, tinha contudo uma dignidade conferida por um intercalado jogo vítreo, ritmado por decorativismos de expressão *déco*. Passando os gradeamentos da entrada dupla, o interior estava imbuído de ternura especial nas vitrinas com carapins e primorosas bonecas-manequins em lugar destacado.

FACHADA

FACHADA

PLANTA

FACHADA

PLANTA

ADELINO A. PEREIRA – LANIFÍCIOS
Rua de Santa Catarina, 15

Ano/Autor: 1933 / Januário Godinho, Arq.
Projecto característico da sonoridade virtuosa do seu autor, que no pequeno espaço consegue impor uma intensidade gráfica de expressão geométrica. No jogo de planos avança uma montra com uma moldura que nos encaminha para o puxador da porta recuada, prolongando e libertando o vidro na sombreada bandeira com vincados letrismos iluminados.

CASA PARIS (ALBERTO FERREIRA DE CARVALHO)
Rua de Santa Catarina, 395

Ano/Autor: 1933 / José F. Peneda, Arq.
O consistente e vigoroso autor anima esta fachada simétrica de vidro como um retrato pessoal com olhos, nariz, boca e um elegante bigode de letrismos. Ao centro, uma oposição entre a reentrância da entrada e um friso-pala com *bow-window* saliente no 1º andar provoca uma estranha sensação uterina, tecnológica e abstracta. Foi demolida poucos anos após a sua construção, por imperativos urbanísticos na redefinição do cunhal com a Rua de Fernandes Tomás.

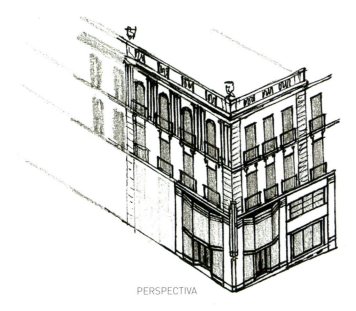

PERSPECTIVA

FACHADA

CAMISARIA CENTRAL (ARMÉNIO DE LEMOS & C.ª)
Praça da Liberdade < Largo dos Lóios

Ano/Autor: 1933 / José F. Peneda, Arq.

O estabelecimento já existia no início do século XX (com a sua dupla *devanture* e sucessão de tabuletas colocadas nas varandas dos vários pisos) na esquina do edifício conventual dos Lóios, construído nos séculos XVIII-XIX para enobrecimento urbanístico do local após a demolição da muralha. O rejuvenescimento comercial determina a alteração dos pisos inferiores, modernizando a fachada com grandes montras salientes no 1º andar, que marcam entradas recuadas e assumem uma verticalidade dinâmica concorrente com a firmeza estática dos planos vítreos horizontais do tramo adjacente no Largo dos Lóios. Destacava-se no cunhal uma marcação vertical para anúncio luminoso e no interior uma espacialidade diferente conferida por pé-direito duplo, escada e varanda. Foi demolida na última década do século XX.

FACHADA

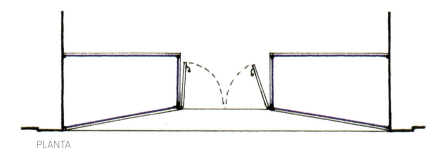

PLANTA

LOPO XAVIER & C.ª LDA.
Praça de Carlos Alberto, 18

Ano/Autor: 1934 / Aucíndio F. dos Santos, Arq. ■ 1947 / Avelino dos Santos, C.C.
A fachada original da fundação do estabelecimento foi alterada em 1947, seguindo igual esquema tripartido mas com mais leveza no uso das caixilharias, acompanhadas de uma moldura exterior e recorrendo à escrita natural nos letrismos néon.
No interior tudo é primorosamente arrumado, desde os móveis de parede (de cantos arredondados) onde se «pavoneiam» as cores dos novelos, até ao apelo dos relevos figurativos do escultor Henrique Moreira sobre as portas do fundo, pressentindo-se assim a distinção do atendimento recebido.

TÊXTEIS E VESTUÁRIO | 201

FACHADA

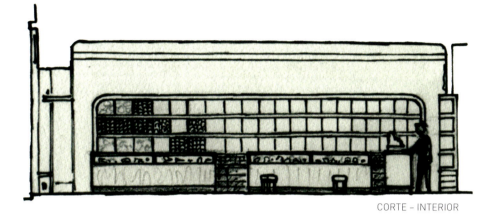
CORTE – INTERIOR

PLANTA

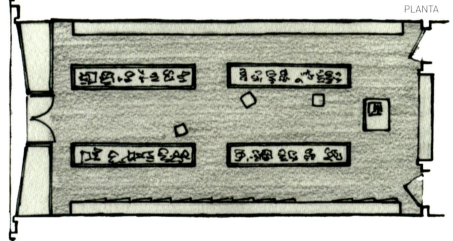

ARMAZÉNS CUNHAS
Praça de Gomes Teixeira, 14-22

Ano/Autor: 1889 ■ 1933 / J. Coelho de Freitas, C.C. ■ 1936 / Manuel Marques, Arq., Amoroso Lopes, Arq.
Este importante armazém de fazendas foi-se expandindo (desde 1889) até ocupar três lotes urbanos, com edifícios dos séculos XVII-XVIII, tendo o do meio menos um piso que os laterais, com quatro pavimentos. A fachada é modernizada, num primeiro momento, com segura e hábil simplicidade que transforma o piso térreo em ampla transparência e prolonga o alpendre preexistente. Posteriormente, uma nova fachada unifica as três partes nos pisos superiores, num jogo alternado de maciças varandas horizontais que destacam lateralmente a vigorosa leveza dúplice de faixas verticais encaixilhadas. Estas assumem o protagonismo da iluminação nocturna em conjunto com os néons panfletários. No vazio do edifício mais baixo, reserva-se espaço para um extasiante pavão que o tempo se encarregou de transformar em ícone comercial.

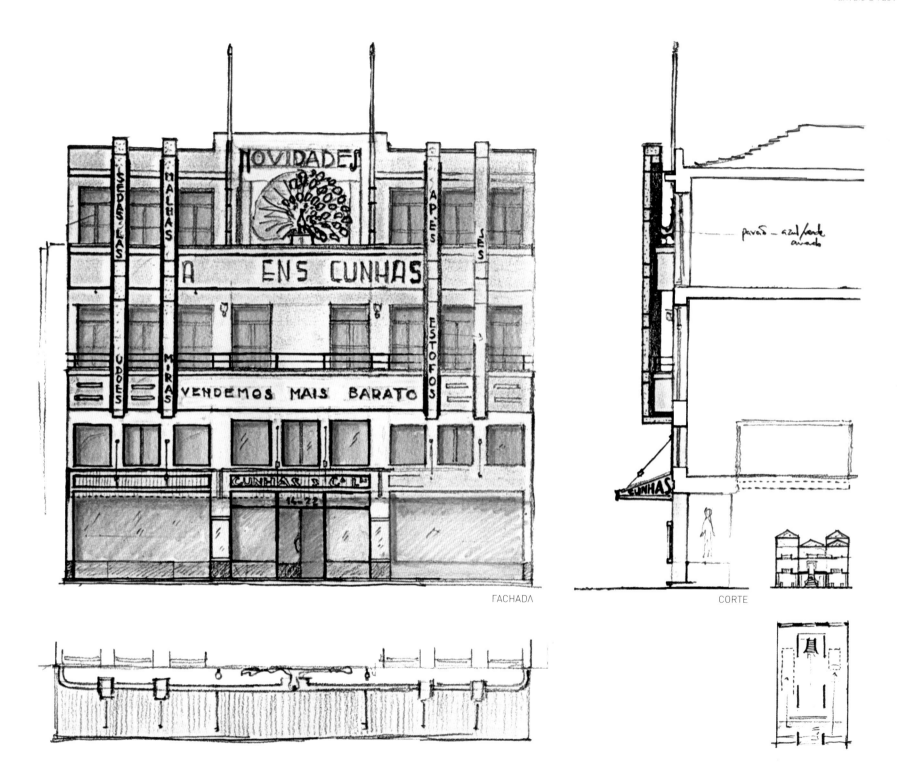

FACHADA CORTE

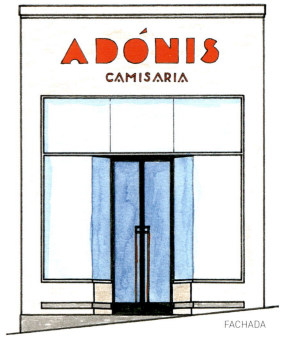

FACHADA — CORTE — FACHADA

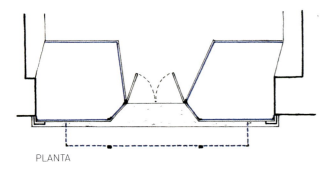

PLANTA

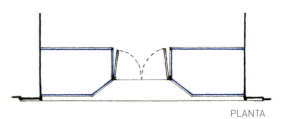

PLANTA

PORTO MEIA
Rua de Santa Catarina, 215

Ano/Autor: 1935 / Artur Almeida Júnior, Arq.
O furor modernista do seu autor nunca foi impedimento para a noção da importância que as decorações subtis possuem como factor de atracção para o negócio comercial. A caixa de vidro saliente parece suspensa pelos vidros decorativos, sentindo-se uma segurança na execução e expressão dos materiais na parte restante da fachada. Foi demolida no final do século XX.

CAMISARIA ADÓNIS (ANTÓNIO PEREIRA DA ROCHA)
Rua dos Clérigos, 25-27

Ano/Autor: António de Brito, Arq.
A simplicidade do esquema tripartido em lote estreito emoldurado a mármore, prolongado superiormente numa platibanda com indómito e vigoroso letrismo. O restante é vidro que dissimula ou ausenta caixilharias, apenas manifestadas na elegante porta central de duas folhas.

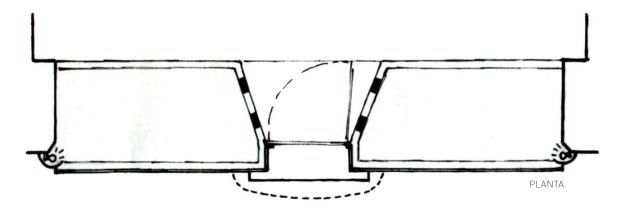
FACHADA

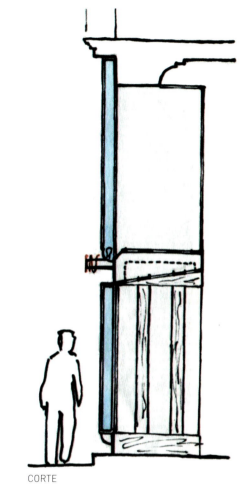
CORTE

PLANTA

CASA DAS MALHAS (J. PINHEIRO & C.ª LDA.)
Rua de Sá da Bandeira, 225

Ano/Autor: 1936 / Artur de Almeida Júnior, Arq.

A modernidade absoluta e intemporal de um estabelecimento que não merecia o infortúnio da demolição. A horizontalidade era destacada pelas amplas montras salientes que recebiam o apoio de longas extensões de metal branco encurvado, para dissimular a iluminação das montras e presentear os passeios nocturnos dos transeuntes. Uma sensível pala encurvada denunciava a porta no meio da fachada. O edifício foi demolido nos anos 40 para ceder espaço à nova Praça de D. João I.

FACHADA

CASA AFRICANA (FREIRE DA CRUZ & C.ª LDA.)
Rua de Sá da Bandeira, 166

Ano/Autor: 1937 / Eng. Reunidos, José Porto, Arq. (atribuído) ▪ 1955 / César Máximo, Eng., A. Duarte da Cruz, Eng. (T. resp.)
Estabelecimento fundado em 1872 na cidade de Lisboa, abre em 1937 uma sucursal numa das mais importantes artérias comerciais da capital nortenha. O projecto seguro, estático e simétrico libertava-se na transparência lumínica nascente que um grande vitral recebia por trás de uma escadaria bem lançada. Com a renovação económica dos anos 50, a loja foi transformada com mestria, destacando uma pala inclinada na fachada e uma surpreendente pala interior em tijolo de vidro, que parecia suportar as vitrinas suspensas, provocando uma sequência de planos diáfanos. No interior também se respirava modernidade, com balcões inclinados para atendimento personalizado. Esta loja também seria alterada no último quartel do século XX, ficando na memória dos portuenses o símbolo da casa (na fachada posterior do edifício), representando um empregado «africano» afanosamente carregado de encomendas.

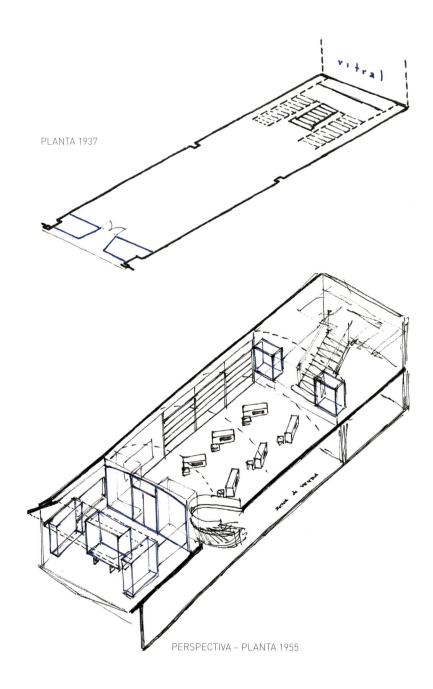

PLANTA 1937

PERSPECTIVA – PLANTA 1955

FACHADA

— placa interior sobre as montras em tijolo de vidro
— paredes laterais revestidas a granito escuro
— pavimento em mármore
— placa-pala superior revestida com elementos cerâmicos

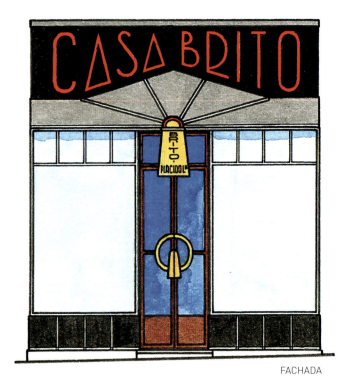

FACHADA

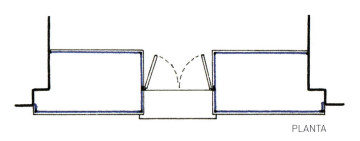

PLANTA

FACHADA

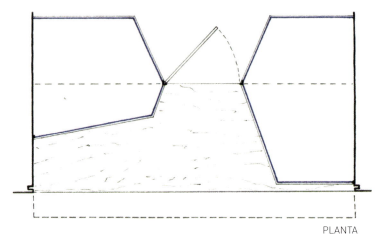

PLANTA

CASA BRITO (BRITO & PLÁCIDO, LDA.)
Rua de Santa Catarina, 283

Ano/Autor: 1937 / Renato Montes, Arq. ■ 1958 / António Côrte-Real, Arq.
Renato Montes é um autor à parte na panorama arquitectónico do primeiro modernismo portuense, conseguindo personalizar os seus projectos com a estranha expressividade que a sua esgravatada forma de desenhar evidencia. Essa estranheza resulta particularmente nos espaços comerciais, concebidos para atrair possíveis compradores. A loja seria em 1955 totalmente modificada segundo um esquema usual na época, com montras de assimétricos recuos e uma pequena pala sobre o passeio.

FACHADA

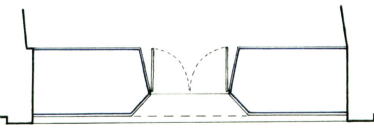

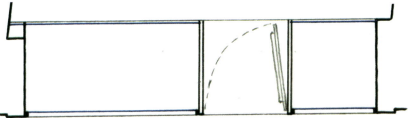

PLANTA

PEQUENO LOUVRE (CORREIA, FIGUEIREDO & OLIVEIRA)
Largo dos Lóios, 80-81

Ano/Autor: 1938 / Rafael Lopes, Arq., Pereira Leite, Arq.

Nas primeiras obras dos arquitectos é costume alguma liberdade na procura da novidade dos efeitos e sugestões arquitectónicas. Esta dupla de autores consubstancia essa circunstância na tensão expressiva das faixas paralelas em chapa de ferro, que acentuam a marcação da porta axial. No restante, sente-se a segurança na aplicação de modelos recorrentes. A loja foi alterada em 1947 por um projecto de acentuado revivalismo ecléctico.

ELEFANTE BRANCO (RAMOS & IRMÃO)
Rua de Fernandes Tomás, 753

Ano/Autor: 1939 / Carlos Ramos, Arq.

Personalidade influente na educação académica, livre de constrangimentos, de gerações sucessivas de arquitectos portuenses, Carlos Ramos parece esconder-se no «estilo português» revelado nas suas obras na cidade do Porto, para proteger os seus súbditos da vigilante ditadura que receia novidades. Esta desaparecida loja é um acaso moderno, talvez pela pequena dimensão ou por existir alguma condescendência na análise crítica dos espaços comerciais e industriais, verificando-se uma reconhecida capacidade geométrica que procura a qualidade expressiva dos materiais e doseia os espaços no controlo global das tensões.

FACHADA

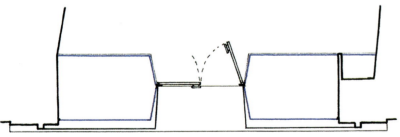

PLANTA

ANDRADE – MODAS E MIUDEZAS
Praça de Carlos Alberto, 25

Ano/Autor: 1940 / Homero F. Dias, Arq., ARS, Arq.tos
Digna fachada (já demolida) de consistente efeito arquitectónico, apesar do usual esquema tripartido.
Na calma aparente da lógica estética do quadrado, define-se um sucedâneo espaço vítreo emoldurado e separado por faixas horizontais, que destacam uma bandeira com a novidade da escrita assinada em néon.

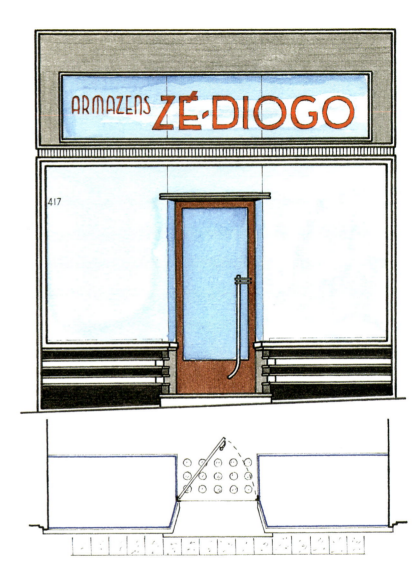

ARMAZÉNS ZÉ-DIOGO
Rua de Sá da Bandeira, 417

Ano/Autor: 1940 / Domingos de Barros C.C. (T. Resp.)
O projecto possui o termo de responsabilidade de um construtor civil, mas procede de um arquitecto reconhecido que não assina esta bela obra modernista. No requintado desenho, um singelo friso estriado de ressonâncias vibrantes separava o enquadramento da bandeira (com letrismos enérgicos) do espaço das montras e porta central. No embasamento, as vigorosas faixas horizontais eram acompanhadas no plano do passeio por ladrilhos de vidro, que iluminavam a cave. A loja foi quase toda alterada, subsistindo alguns saudosos vestígios.

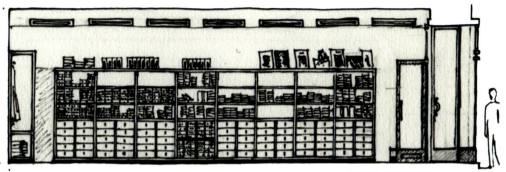
CORTE – INTERIOR

FACHADA

PLANTA
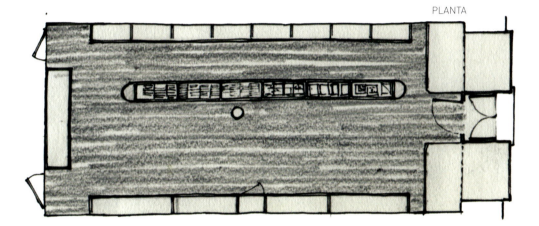

ALOMA (AMÉRICO PINHEIRO DA COSTA)
Rua de Santa Catarina, 331

Ano/Autor: 1942 / Homero F. Dias, Arq.
No local existiu uma *devanture* da loja La Femme Chic, a qual seria demolida para a execução deste projecto, que também integrava a porta lateral no arranjo do piso térreo. Destacavam-se os letrismos altivos sobre a padieira metálica da porta e as inscrições sob as superfícies das montras laterais. Tudo parecia ter o seu lugar no interior de gavetas e prateleiras executadas com extrema perfeição, não tendo a segurança estética sido entendida no decisivo momento da sua demolição na década de 90.

FACHADA

PLANTA

FACHADA

PLANTA

HIGH-LIFE (MANUEL JOSÉ FERREIRA)
Rua de Santa Catarina, 155

Ano/Autor: 1942 / Joaquim Mendes Jorge, Eng.
O autor é um dos mais prolíferos na cidade do Porto durante as décadas intermédias do século XX, contribuindo para a consolidação do panorama urbano ao longo das várias correntes estéticas. Neste caso consegue libertar-se dos excessos decorativos formalistas que o caracterizavam, apresentando um projecto que se reduz ao essencial, com uma porta central envolvida por ampla montra que destaca letrismos de fino recorte e um esforço geral para dissimular a presença das caixilharias.

CASSIANO – MODAS (CASSIANO ALVITE DA SILVA)
Rua de Cedofeita, 32-36

Ano/Autor: 1943 / Afonso F. S. Proença, Eng.
Este estabelecimento corresponde a uma ampliação da original chapelaria Cassiano existente no lote vizinho, diversificando e especializando, assim, as áreas de negócio com as novas instalações. O projecto denota a sobriedade característica dos anos 40, com uma moldura envolvendo duas portas laterais e uma montra central, inserindo os letrismos na bandeira contínua com diferenciadas expressões no desenho e na escala.

FACHADA

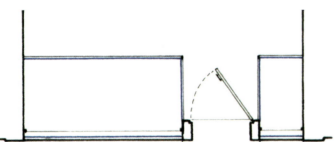
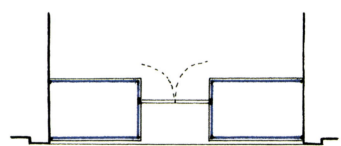

PLANTA

KATTITA (SOUSA & CARVALHO, LDA.)
Rua de Santo Ildefonso, 18-20

Ano/Autor: 1944 / Joaquim G. Moreira da Silva, M.Ob.
A percursora estrada velha de Valongo-Penafiel sempre demonstrou um dinamismo comercial incomum, assistindo a uma constante transformação dos espaços como forma de valorizar e evidenciar os produtos. Os projectos realizados por mestres-de-obras assinalam pontualmente uma atitude menos comprometida com os códigos da aprendizagem académica. Nesta fachada sente-se a ousadia da liberdade, no envolvimento revestido a marmorite preta que destaca uma moldura facetada em arco na porta, assimetricamente disposta, evidenciando as superfícies vítreas e os letrismos rítmicos. Foi demolido nas últimas décadas do século XX.

MEIA CARLO (ERNESTO PEREIRA)
Praça de Carlos Alberto, 24

Ano/Autor: 1948 / José Correia da Costa, M.Ob.
A importância do vidro nos espaços comerciais, para além das óbvias vantagens no uso de amplas montras, reside na transparência lumínica sobre o ambiente interior da loja e no fascínio que a crescente iluminação nocturna proporcionava. Este projecto oculta a espessura horizontal que separa a montra tripartida do espaço da sobreloja, com a inclusão de uma superfície em vidro e a designação comercial preparada para receber a luz escondida. Consegue-se assim um efeito de amplitude afirmativa no espaço urbano onde se insere. Desapareceu no final do século XX.

214 | TÊXTEIS E VESTUÁRIO

FACHADA

- enquadramento com uma cercadura de granito
- revestim/ de vidro opalino
- caix. ferro
- letrismos metálicos iluminados a gás Neon

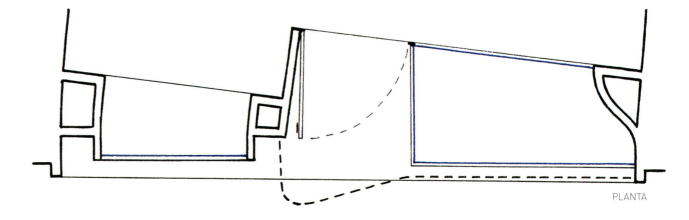

PLANTA

REI DOS CHALES (ANTÓNIO TEIXEIRA PINTO & C.ª LDA.)
Rua dos Clérigos, 37

Ano/Autor: 1951 / Arménio Losa, Arq., Cassiano B., Arq., António Barbosa, Arq.

Estabelecimento revelador do espírito criativo dos seus autores, que não concebem a actividade arquitectónica como um caminho de certezas imutáveis. A fachada desenvolve uma animada assimetria, através de um expressivo jogo que mistura uma pala encurvada na zona da entrada recuada, com uma estática montra, superiormente ritmada por uma grelha vertical encoberta pelos néons. A restante fachada surpreendia no revestimento de vidro opalino, que destacava uma provocante montra simulando o tempo da novidade televisiva. Este «desperdício» de espaço de montra parece ter surpreendido (também) o requerente, que posteriormente substituiu os arquitectos e alterou o projecto segundo a lógica tripartida comum.

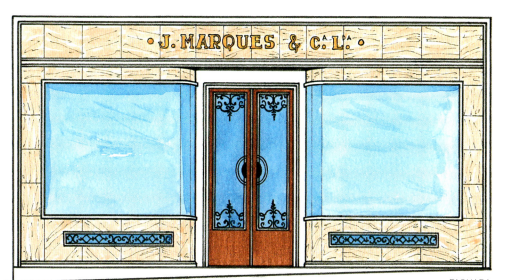

FACHADA

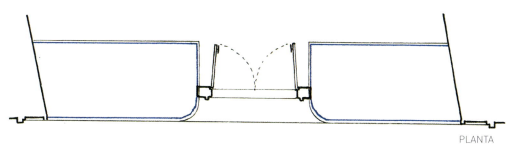

PLANTA

J. MARQUES & C.ª LDA.
Largo dos Lóios, 83

Ano/Autor: 1952 / Franklin da S. Gens, M.Ob.
O projecto de 1952 corresponde a uma renovação da imagem que implica a demolição da anterior *devanture* em ferro do início do século XX. O esforço criativo está na selecção criteriosa dos materiais e nos apontamentos decorativos, que lhe conferem um lugar na dignificação do Largo dos Lóios. Essa característica terá, provavelmente, sido o factor que lhe permitiu sobreviver à voragem demolidora do tempo.

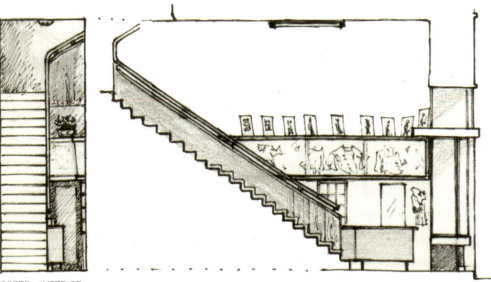
CORTE – INTERIOR

PLANTA

FACHADA

SOFT LINGERIE
Rua de Santa Catarina, 165

Ano/Autor: 1958 / J. Márcio Freitas, Arq.
O actual estabelecimento Beigel aproveita a fachada construída em 1938 da Camisaria Confiança, que se havia expandido para este lote vizinho. Em 1958 é concretizado um prolongamento dessa fachada para dignificar o aproveitamento comercial do vão da escada de acesso aos andares. Desde o final do século XIX que se afirmava esta ocupação superlativa do espaço nas principais artérias comerciais da cidade.

TÊXTEIS E VESTUÁRIO | 217

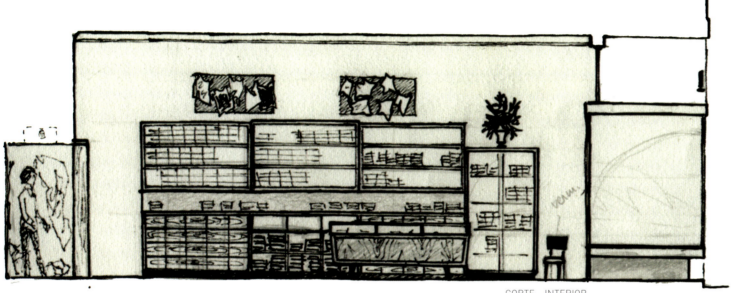

CORTE – INTERIOR

FACHADA

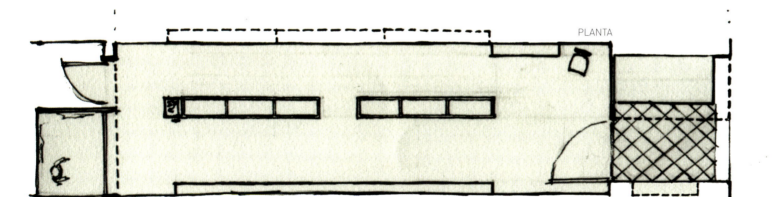

PLANTA

RENDA BELA
Rua de Santa Catarina, 341

Ano/Autor: 1956 / Aucíndio F. Santos, Arq.
O estabelecimento construído para Maurício A. M. Costa ocupa o pequeno espaço interior aproveitando a modinatura da porta larga do edifício. Nessa porta é incorporada uma montra estreita e altiva, com letrismos suspensos, recuando a entrada e bandeira para um segundo plano. O interior reflecte a simplicidade fundamental da arrumação necessária para dar uma noção de espaço afectivo. Foi demolida no final do século XX.

| 218 | TÊXTEIS E VESTUÁRIO

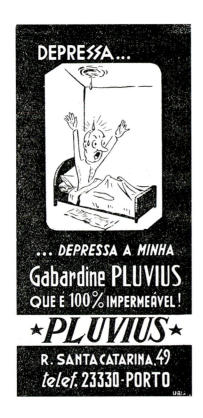

FACHADA

PLUVIUS (SOARES, IRMÃO & C.ª)
Rua de Santa Catarina, 49

Ano/Autor: 1956 / Carlos Neves, Arq.
Um expansivo vigor moderno que espalha fluidos etéreos destacava esta loja na animação comercial do arruamento. A sucessão atmosférica de espaços com montras, de uma leveza suspensa, provocava um efeito cenograficamente convidativo. Tipologia característica dos anos 50, enaltecida por um autor de excelência que não assistirá à demolição desta «coisa pequena» em 1974.

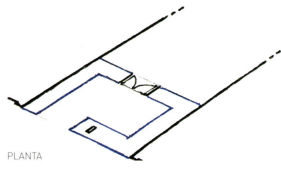

PLANTA

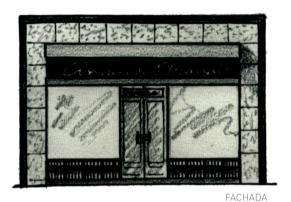
FACHADA

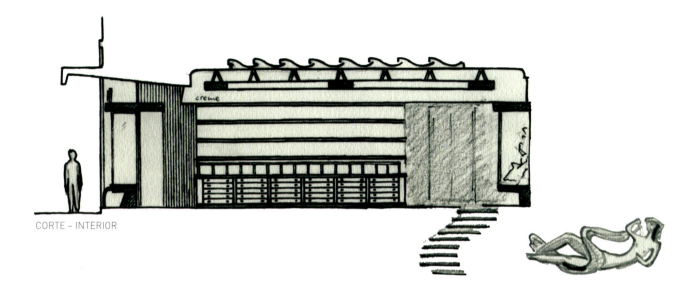
CORTE – INTERIOR

ARMAZÉNS MORAIS
Praça de Carlos Alberto, 27

Ano/Autor: 1959

Partindo do esquema tripartido, a fachada utiliza a informação arquitectónica que a partir dos anos 50 é usada até à plenitude dos anos 60, recorrendo a uma expressiva pala saliente, uma bandeira recuada, a livre escrita de letrismos sob uma faixa horizontal que acompanha as montras, e na base destas uma grade curva que protege a iluminação da cave. No interior, o tecto falso ondulante ilumina o mobiliário geométrico e uma estranha escada ao fundo, reservando num lugar destacado uma escultura em posição de sereia.

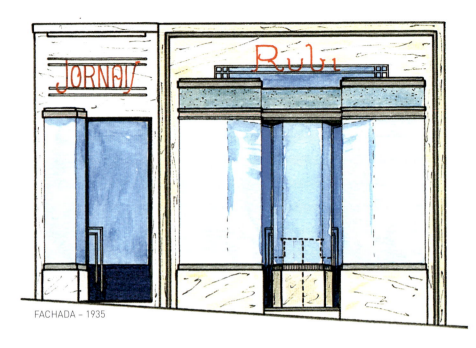
FACHADA – 1935

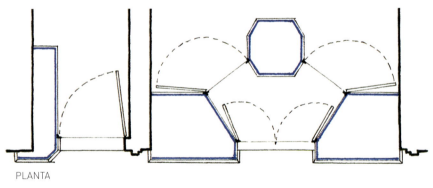
PLANTA

RUBI
Rua de 31 de Janeiro, 224-230

Ano/Autor: 1962 / A. Losa, Arq., Cassiano B., Arq., A. Côrte-Real, Arq.
Os antecedentes deste estabelecimento estão na delicada loja de 1935 que viria a ser demolida com o projecto de 1962, alargando-o para o lote adjacente. O esvaziamento do piso térreo é sempre uma proposta que descaracteriza os edifícios, contudo, neste caso, sente-se uma força telúrica revelada pela qualidade da arquitectura, que, pelo seu valor, claramente se sobrepõe à preexistência, sendo merecedora de uma protecção específica. O projecto traduz um jogo de planos e de ortogonalidades valorizadas pelo arruamento oblíquo, destacando uma montra trespassada por duas pilastras vincadas e um percurso interior que denuncia geometrias e texturas, explorando as virtudes dos materiais. No segundo plano repete-se a montra com um pilar camuflado, ladeada por entradas e sobreloja, tendo o interior sido alterado nos anos 70 do século XX.

TÊXTEIS E VESTUÁRIO | 221

FACHADA

CORTE – INTERIOR

PLANTA

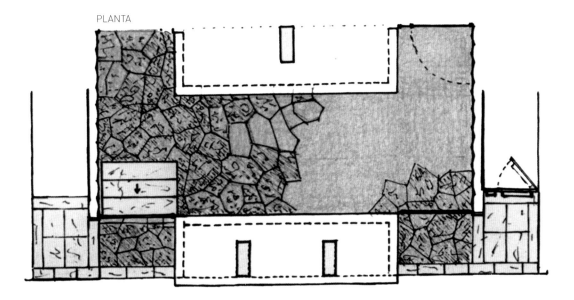

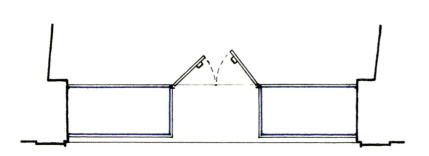

FACHADA

PLANTA

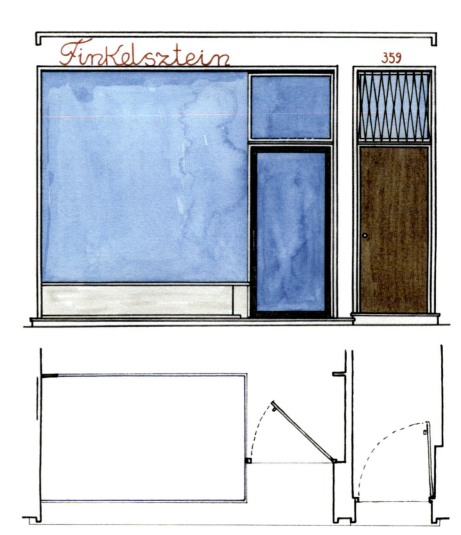

CASA COELHO
Praça de Carlos Alberto, 46

Ano/Autor: 1935 / Humberto Reis, Arq., António P. D. Guimarães, Arq.
A zona da Praça de Carlos Alberto e da Rua de Cedofeita afirma-se na cidade, desde o início do século XX, como local de prestígio comercial e de grande variedade de oferta especializada. Esta loja, graficamente apelativa, foi um dos primeiros estabelecimentos dedicados à venda de peles, contribuindo para espalhar a ostentação vaidosa da elegância feminina. Foi demolida nos anos 70.

FINKELSTEIN (SRUL FINKELSTEIN)
Rua de Santa Catarina, 357

Ano/Autor: 1944 / Januário Godinho, Arq., J. Fernando Moura, Arq.
Os afluxos populacionais gerados pela terrível Segunda Grande Guerra Mundial no Continente Europeu tinham Portugal como um destino privilegiado de passagem para a miragem da Livre América. Esta estranha cidade com uma estranha rua em que a Sinagoga é vizinha do Colégio Alemão, juntamente com a existência de várias comunidades estrangeiras residentes (aliada ao cansaço da fuga contínua), levou à fixação de alguns estrangeiros em terras portuenses, protagonizando investimentos na área comercial. A secura geométrica deste estabelecimento destaca uma ampla montra, para tornar visível o brilho caloroso dos conjuntos de peles rigorosamente seleccionadas.

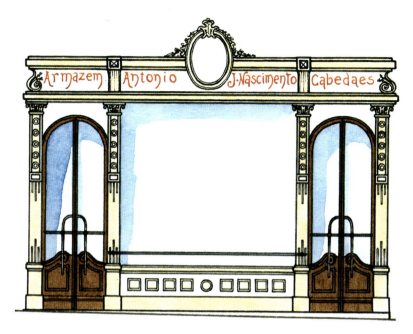

FACHADA

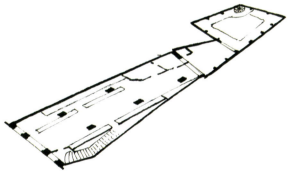

PLANTA

MANUEL NARCISO DA SILVA
Rua de Sá da Bandeira, 195-199

Ano/Autor: 1917 / F. Oliveira Ferreira, Arq.

Requintada fachada ecléctica de um autor informado, esta loja é dedicada ao negócio de solas e cabedais numa zona que se valorizava comercialmente. A sua dignificação excessiva deixa adivinhar os caminhos de sucesso industrial de Manuel Narciso da Silva, com a sua importante fábrica «A Portugal» que disponibilizava produtos para várias sapatarias, com o slogan publicitário: «Calça Meio Mundo». Acompanhando a evolução estética do tempo, o estabelecimento foi reformulado na totalidade em 1928-1929 com uma primeira proposta *art déco*, logo substituída por uma segunda proposta modernista.

ANTÓNIO JOSÉ NASCIMENTO
Rua de Santa Catarina, 304

Ano/Autor: 1920

Devanture ecléctica com pilastras definindo as portas laterais arqueadas e uma ampla montra central, superiormente rematada por um entablamento onde se inserem letrismos e um medalhão tipo cartela. Teve uma vida efémera, sendo demolida dez anos após a sua construção.

CASA CROCODILO (TOMÁS DE ALMEIDA COUTINHO, LDA.)
Rua de Cimo de Vila, 65-71

Ano/Autor: Século XX
Todas as cidades comerciais mereciam ter uma loja assim, com a lembrança, quase cultural, da novidade dos territórios coloniais com os seus produtos e os seus perigos. A simplicidade do estabelecimento ainda torna mais surpreendente a visão de um crocodilo africano de cinco metros pendurado no tecto, com fiadas de dentes na boca aberta e a pregaria característica da sua robusta pele.

CALÇADO E MARROQUINARIAS | 225

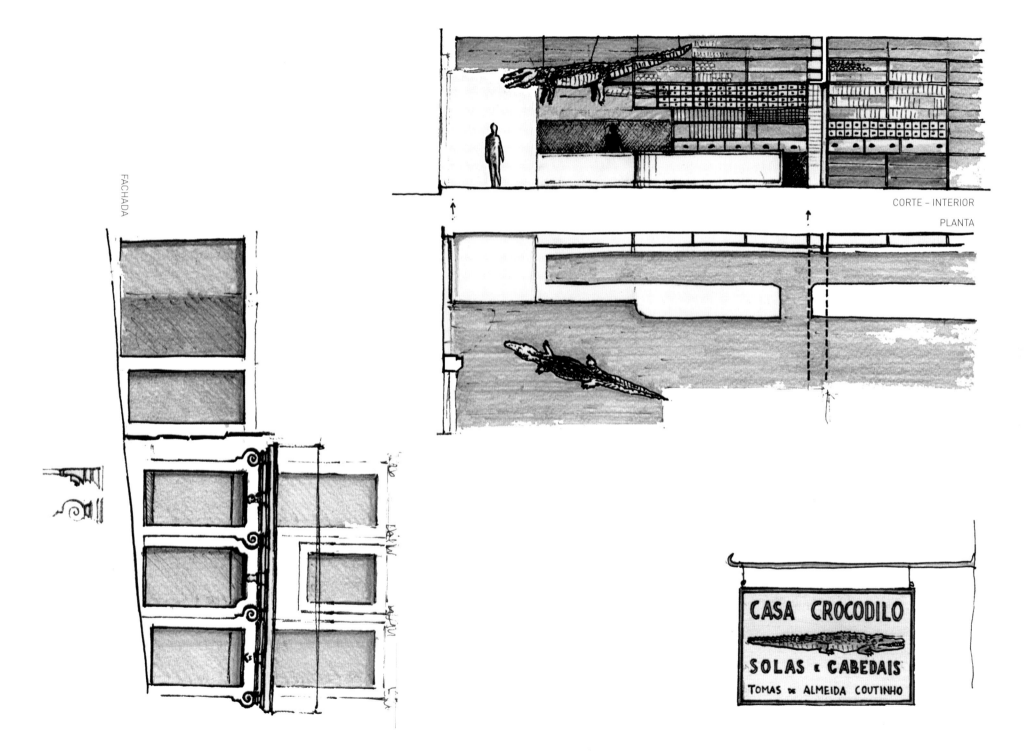

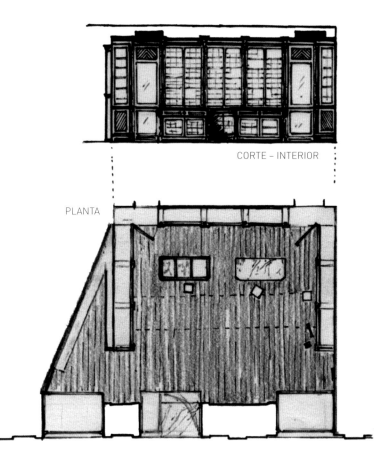

▸ **SAPATARIA SANTOS COIMBRA**
Rua de Fernandes Tomás, 638

Ano/Autor: 1882
O estabelecimento estava instalado no piso térreo de um palacete pertencente a um burguês enobrecido de oitocentos, e a inicial designação da sapataria, O Primor do Bolhão, seria posteriormente alterada. Nas montras, os pares de sapatos eram apresentados em suspensão, e o mobiliário existente no interior havia pertencido a uma antiga farmácia, tendo encerrado na última década do século XX.

SAPATARIA JOÃO PESSOA ▸
Rua de Santo Ildefonso, 224

Ano/Autor: Início do século XX
O estreito lote era uma evidência tipológica do uso comercial nos pisos térreos. Do pequeno espaço de venda acedia-se por um estreito corredor a uma zona oficinal desnivelada em dois pavimentos. No pavimento inferior era visível uma indescritível desarrumação próxima da imagem do sapateiro comum, com formas de madeira e pedaços de cabedais acumulados, e no pavimento superior desenvolvia-se o processo da execução final dos sapatos com um tear manual iluminado pela janela. No momento da execução deste desenho, a conversa denunciava a memória prodigiosa do octogenário Sr. Pessoa, que confirmou nos seus livros de registos um pedido do meu bisavô para a execução de um par de sapatos nos anos 40, após um regresso de terras africanas. O mobiliário arte nova e a porta de coloridos vitrais foram desenhados a partir de fotografias que me disponibilizou, pois haviam sido já vendidos a um antiquário lisboeta.

CALCADO E MARROQUINARIAS | 227

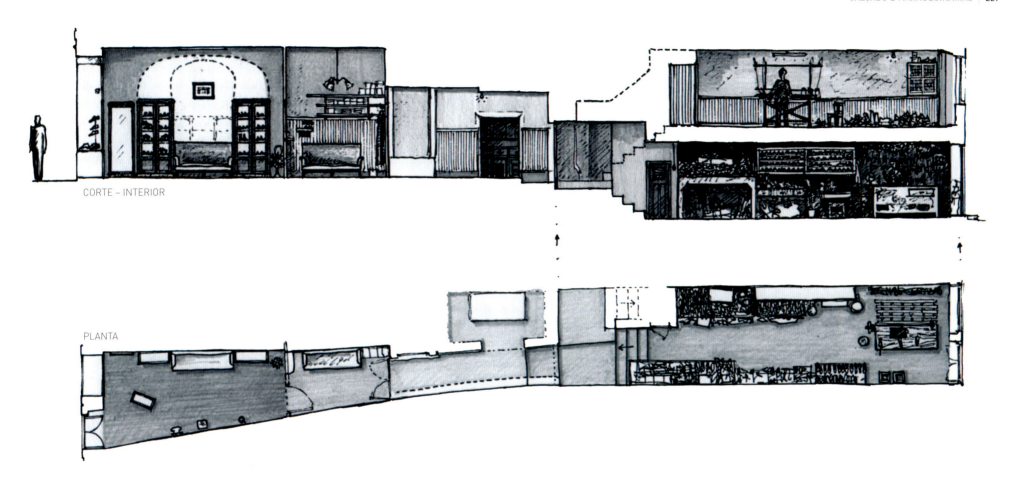

CORTE – INTERIOR

PLANTA

FACHADA

FACHADA

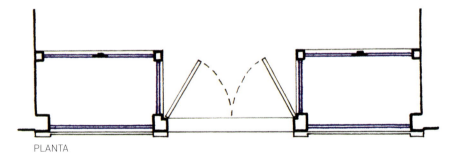

PLANTA

SAPATARIA RODRIGUES
Rua de Santa Catarina, 95-97

Ano/Autor: 1915 / Manuel Alves Maia, M.Ob. (T. resp.)
Devanture de madeira valorizada pelo cuidado desenho das caixilharias que dão uma animação de sabor arte nova ao conjunto. O entablamento enquadra o nome do estabelecimento destacando apontamentos decorativos no motivo arqueado ao centro e nos enrolamentos de carácter vegetalista nas extremidades. Foi demolida em 1928 e substituída pela fachada modernista da Rouparia da Moda.

FACHADA

SAPATARIA VIGUROSA (M. G. SOBRINHOS & C.ª LDA.)
Rua de 31 de Janeiro, 57

Ano/Autor: 1918 / José dos Santos, Arq.
Projecto singular na forma como aplica duas situações modernas na definição espacial da *devanture*, construída em cimento, ferro e vidro. No rés-do-chão recua para usufruir de mais espaço de montras, e no 1º andar faz avançar uma estrutura metálica, ampliando o espaço e dando uma maior visibilidade comercial ao estabelecimento. Esta sapataria mantinha uma relação com a indústria do mesmo nome e seria demolida e substituída (em 1941) pela Sapataria Alteza.

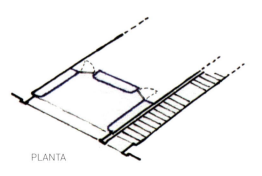

PLANTA

FACHADA

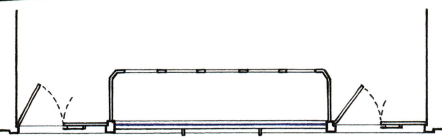

PLANTA

SAPATARIA IDEAL
Rua de 31 de Janeiro, 147-151

Ano/Autor: 1920 / Leandro de Moraes, Arq.

Apesar de na aparência ser uma *devanture* em ferro, a memória descritiva do projecto apresenta-a como sendo construída em cimento. A *devanture* traduz a lógica decorativa do seu autor que, em muitos edifícios construídos, utiliza arcos abatidos e uma prolongada permanência de eclectismos. A fachada simétrica é tripartida por finas pilastras com capitéis, separando a montra central das portas laterais, evidenciando o gosto pela linha curva pontuada por momentos decorativos que preenchem frisos e molduras e uma atenção especial aos puxadores e guardas de cariz arte nova. Foi demolida em 1944 e substituída por uma loja moderna da Telefunken.

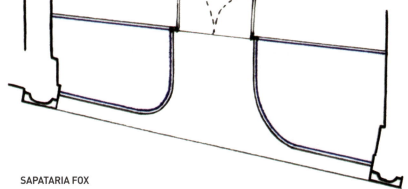

SAPATARIA FOX
Rua de Sá da Bandeira, 185-187

Ano/Autor: 1927 / Amoroso Lopes, Arq.

Amoroso Lopes é um dos primeiros divulgadores do estilo *art déco*, afirmando um vigoroso sentido de elegância no doseamento dos espaços e no tratamento das superfícies, com decorações pontuais expressivas. O cimento é o material usado no moldura envolvente, recorrendo a colunas adossadas para suportar o estático entablamento, que se abre em vidro para iluminar o interior. A fachada simétrica impunha montras laterais encurvadas sobre a porta recuada, tendo sido demolida nos anos 40 para a construção do edifício Atlântico e a nova Praça de D. João I.

FACHADA

PERSPECTIVA

FACHADA

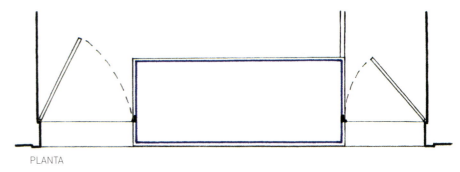

PLANTA

CASA SECIL / CASA DOUGLAS
Rua de Sá da Bandeira, 231

Ano/Autor: 1927 / Inácio P. de Sá, C.C.

Construída para a importante empresa industrial de calçado Atlas, a loja teve um projeto dignificante do «arquitecto-construtor» Inácio Pereira de Sá em 1927. A fachada *art déco* é revestida por mármores estrangeiros, com incrustações e ornatos de bronze nos frisos e nas colunas adossadas. Nestas, estão os duplos apoios metálicos que suportam o alpendre transparente, com letreiros luminosos e lâmpadas eléctricas. Foi demolida em 1955 para aí se instalar a Papelaria Sousa Ribeiro.

METROPOLIS
Rua de 31 de Janeiro, 208

Ano/Autor: 1938 / J. R. Lima Júnior, Eng. (T. resp.)

Os herdeiros de Manoel Narciso da Silva prolongam a história familiar renovando a imagem das sapatarias que tinham nas principais artérias comerciais da cidade. Esta fachada moderna implicou a demolição da anterior *devanture*, contudo, é provável que o início da Guerra Mundial em 1939 tenha determinado repercussões negativas no negócio, pois a nova loja seria demolida e substituída por outro negócio em 1942. O geométrico projeto destacava-se por uma leveza arquitectónica com montra central e duas portas de diferentes larguras, envolvidas por uma moldura em mármore preto. Superiormente, uma bandeira acompanhava o espaço da loja com letrismos em metal cromado, ausentando-se na marcação da porta de serviço.

CALÇADO E MARROQUINARIAS | 231

FACHADA

- revestim/paredes laterais em Cristal Opaline creme
- letrismos néon
- montras recuadas

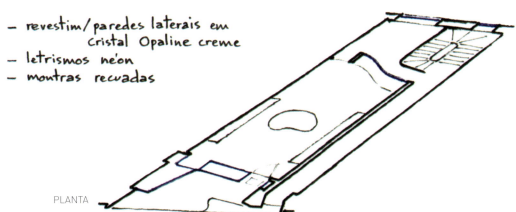

PLANTA

SAPATARIA JÓIA
Rua de 31 de Janeiro, 120-122

Ano/Autor: 1947 / Viana de Lima, Arq., A. Losa, Arq., Cassiano B., Arq.
O encontro feliz de uma dupla de arquitectos consistentes com a inovação criativa de Viana de Lima é traduzido num projecto que antecipa os ventos modernistas da segunda geração dos anos 50. A fachada evidencia a sublimação do recuo assimétrico para destacar o espaço de montra, apoiada no embasamento ondulante, encostando a porta da loja numa constrangida perspectiva, acentuada pelo degrau e parede que se encurva para a porta de serviço. No tecto uma falsa pala recebe os néons e uma ondulação esconde a iluminação, que se propaga no interior por um plano de vidro inclinado. O estabelecimento ainda existe, mas está dramaticamente irreconhecível por transformações pouco informadas.

232 | CALÇADO E MARROQUINARIAS

FACHADA

- revestim/com mármore e vitrolite
- caix. ferro pintado
- letrismos néon

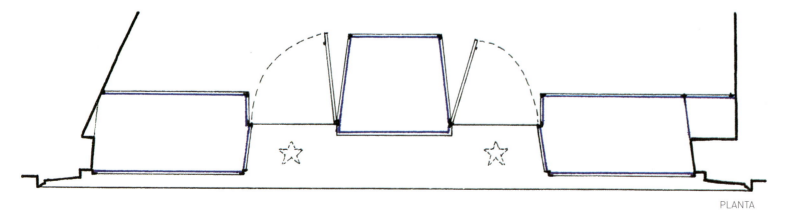

PLANTA

SAPATARIA INGLESA (MANUEL SOARES OLIVEIRA)
Rua de Passos Manuel, 167-169

Ano/Autor: 1951 / Agostinho Ferreira de Almeida, Arq.
Ampla fachada comercial que acentua a horizontalidade com uma espessa moldura chanfrada de enquadramento geral, englobando as montras laterais e uma bandeira estriada sob néons. Ao centro, uma delicada moldura interior define o recuo da dupla entrada e de uma pequena montra. Todo o pavimento térreo foi alterado em 1967.

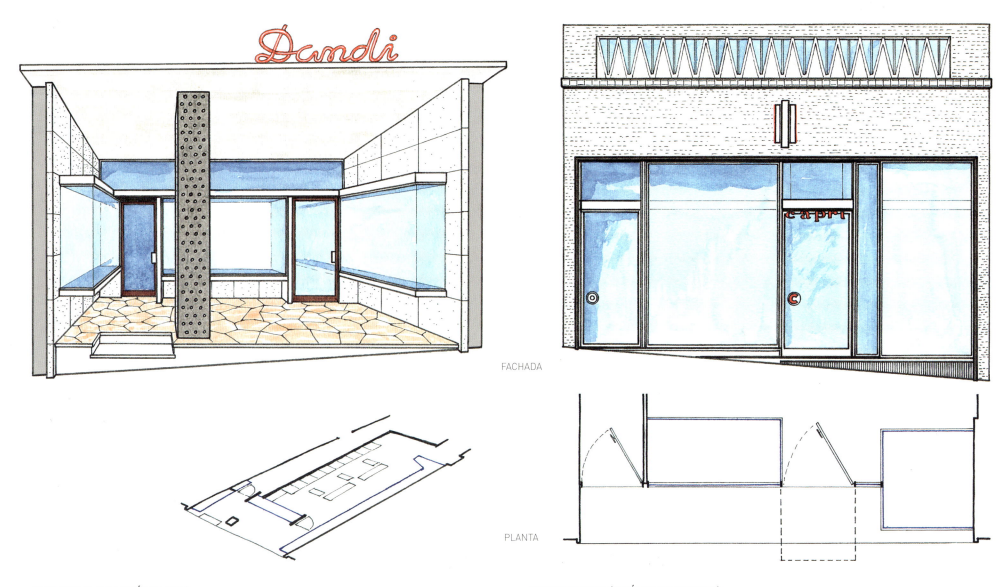

FACHADA

PLANTA

SAPATARIA DANDI (ANTÓNIO LEITE)
Rua de 31 de Janeiro, 129-133

Ano/Autor: 1957 / A. Losa, Arq., Cassiano B., Arq., António Cândido, Arq.
Espelhando a modernidade usual dos seus autores, neste caso anunciada pelo ritmo dos letrismos dançantes, convida o passeio público para o interior, acentuando a perspectiva através da subtil pala, em plano inclinado, que perpassa a bandeira contínua. As montras suspensas acompanham as paredes e definem o recuo da fachada vítrea, soltando-se um falso pilar em chapa perfurada que revela os feixes laser dos néons e demarca o percurso da entrada de serviço do prédio. Antes de ter sido demolida no último quartel do século XX, esta loja já se perdia no meio das inexistências.

SAPATARIA CAPRI (JOSÉ FERREIRA GOMES)
Rua de 31 de Janeiro, 242-244

Ano/Autor: 1957 / Eduardo Iglésias, Arq.
Durante todo o século XX assiste-se a uma renovação dos momentos estéticos em simbiose com as novas gerações de arquitectos, ávidos de os transporem para as suas primeiras obras, que muitas vezes são espaços comerciais, também eles ávidos de modernidade. Eduardo Iglésias coloca nesta loja aspectos que viriam a ser recorrentes nos anos 60-70, com o uso (quase) descontrolado da cor e expressão dos materiais, mas sujeitos a um geometrismo geral que planifica os panos de vidro desfasados, a esbelta pala sobre a entrada, a tabuleta debruada a néon, e um cuidado desenho na pormenorização arquitectónica. O medo da novidade que antecipa o tempo também aqui foi traduzido com a substituição do autor e do respectivo projecto.

CELESTINO RIBEIRO DA SILVA
Rua de Cedofeita, 220 < Rua do Mirante

Ano/Autor: Final do século XIX, início do século XX

A *devanture* é do final do século XIX e segue o esquema de porta central ladeada por montras, separadas por colunas adossadas mais assumidas nos extremos e respectivo entablamento. Por todo o lado se sente que a especialização é dedicada aos guarda-chuvas, contudo é impossível manter esta unicidade perante as ondulações atmosféricas preocupantes do nosso tempo. Encerrou as portas em 2009.

CORTE – INTERIOR

FACHADA

PLANTA
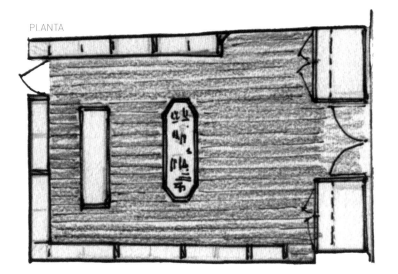

FACHADA

PLANTA

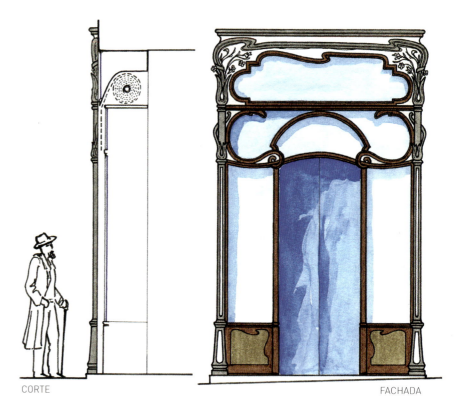

CORTE

FACHADA

AU BON GÔUT (LAURA OSÓRIO)
Rua de 31 de Janeiro, 225-229

Ano/Autor: 1907 / José M. Olympio, M.Ob. (T. resp.)
O chapéu é um objecto fundamental na indumentária da viragem dos séculos XIX-XX. Símbolo dignificante e produto com valor acrescentado, determinou a instalação de um extraordinário número de chapelarias nas principais artérias comerciais. Esta famosa *devanture* arte nova, demolida em 1918, era embelezada pela serpenteante caixilharia que definia uma montra central ladeada de portas simétricas e por um requintado alpendre (marquise) apoiado por correntes que se encontravam numa espécie de roseta.

GRAND CHIC (A. M. SEIXAS)
Rua de Sá da Bandeira, 115

Ano/Autor: 1909
Esguia *devanture* arte nova com decorações de carácter vegetalista e floral nas extremidades superiores das pilastras e uma caixilharia com ondulações na dupla bandeira, verticalizando prumos na porta central, entre duas pequenas montras. Foi demolida em 1938 para aí se instalar a camisaria Smart.

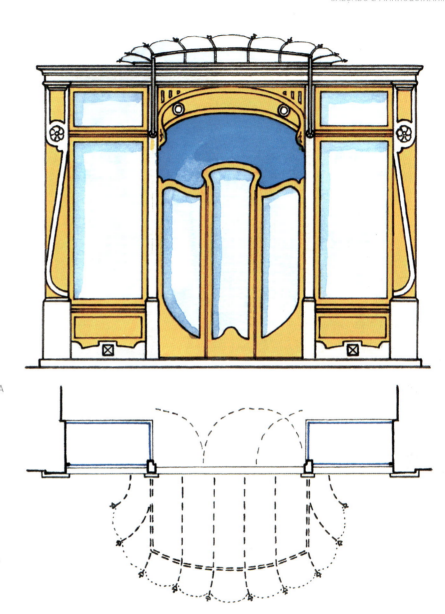

FACHADA

PLANTA

NOTRE DAME DE PARIS
Rua de 31 de Janeiro, 101

Ano/Autor: 1914
Paris era o centro do mundo e as novidades da moda eram apresentadas nas lojas mais chiques, também elas intituladas com adornados francesismos. Esta *devanture* construída para Arthur Sequeira Pinto seria demolida dois anos depois pela ourivesaria Bonneville, que se havia deslocalizado por causa das demolições para alargar o início da actual Rua de Sá da Bandeira.

COUTINHO & COMANDITA
Praça de Carlos Alberto, 47-48

Ano/Autor: 1918
Elegante fachada em madeira com alguns apontamentos arte nova que animam o conjunto, com destaque para a porta tripartida do tramo central superiormente abrigada por um alpendre curvo em ferro e vidro. Foi demolida no final dos anos 50.

FACHADA

CHAPELARIA EUROPA

Rua Formosa, 315-317

Ano/Autor: 1916 / F. Oliveira Ferreira, Arq.

No mundo em guerra, esta montra representa uma erupção de riqueza arquitectónica com uma atraente *devanture* em ferro fundido, desenhando um arco abatido e duplos colunelos nos extremos. O embasamento marmóreo destaca dois pequenos pilares, separando a cancela das grades de protecção arte nova, e define o espaço recuado da entrada com caixilharia em madeira absorvendo cristais lapidados. Mostrava-se o luar eléctrico das lâmpadas que iluminavam os apontamentos decorativos até 1956, ano da sua infeliz demolição.

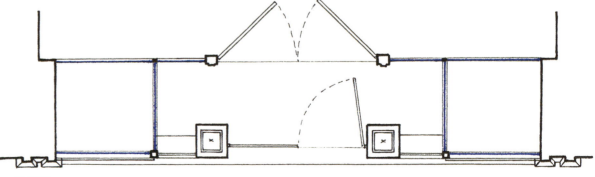

PLANTA

CALÇADO E MARROQUINARIAS 239

FACHADA

CORTE

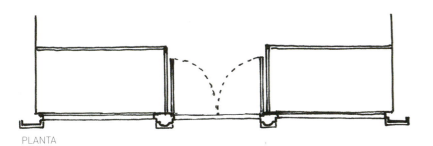

PLANTA

CHAPELARIA CASSIANO / BIJOU
Rua de Cedofeita, 38-42

Ano/Autor: 1920 / Eduardo A. C. Oliveira, Arq.
Devanture em madeira recorrendo ao esquema tripartido com porta central, separado por pilastras e rematado por um entablamento que fixa o nome comercial. A marcenaria artística espalha as lembranças da talha decorativa, contribuindo para o esquecimento da crise económica do pós-guerra mundial. Foi demolida em 1959.

240 | CALÇADO E MARROQUINARIAS

FACHADA

CHAPELARIA BAPTISTA / actual CONFEITARIA BAPTISTA
Rua Formosa, 285

Ano/Autor: 1883 ■ 1925 / Leandro Moraes, Arq.
Na singela aparência do estabelecimento fundado em 1883, apenas se destacava uma tabuleta saliente com a forma de uma cartola gigante. A renovação da fachada em 1925 liberta todo o piso térreo na imagem cristalina das amplas montras e da porta central. O entablamento suportado por consolas com decoração geométrica e vegetalista de carácter ecléctico insinua uma difícil relação visual com os letrismos modernistas.

FACHADA

PLANTA

CHAPELARIA ALCINA
Rua de 31 de Janeiro, 159

Ano/Autor: 1929 / Manuel A. L. Lima, Eng., J. Praça, Eng., M. Godinho, Eng.
Fachada modernista que planifica a moldura em mármore cinzento, insere letrismos soltos e define uma cornija e uma porta lateral. Faixas verticais enquadram a loja lateralmente e na base das montras, destacando preciosos momentos ondulantes *art déco* na caixilharia da porta central e na sugestão côncava das montras de cúpulas facetadas incomuns. Foi demolida umas décadas após a sua construção.

FACHADA

CHAPELARIA ROSAS
Rua de Sá da Bandeira, 97

Ano/Autor: 1932 / Joaquim M. Jorge, Eng. (T. resp.)
O projecto apresentava uma montra no primeiro andar que dava ao aspecto exterior uma grandeza arquitectónica que seria alterada na década de 60, com a reconstituição das janelas da primeiro andar do edifício. As intenções estéticas eram sugestivas, recorrendo aos formalismos torneados, floreados e ondulados de inspiração *déco*.

FACHADA

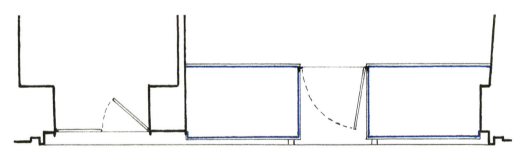

PLANTA

CHAPELARIA LINDOYA
Rua de Santa Catarina, 366

Ano/Autor: 1941 / António Alla, Eng.
Apesar da censura intimidatória existente na década de 40 do século XX, aparecem projectos comerciais surpreendentes na expressão arquitectónica que não se polui em decorações funestas. O geometrismo desta fachada é marcado pela tensão imposta pela larga faixa ortogonal que enquadra a porta e a montra, reservando um apoio superior para o dramático efeito dos letrismos antagónicos. Foi demolida nos anos 60.

CHAPELARIA ALMEIDA
Rua de 31 de Janeiro, 18-20

Ano/Autor: 1953 / Amândio P. Marcelino, Arq.
Um dos últimos estabelecimentos de chapelaria que apareceu na cidade do Porto, num tempo em que se adivinhava que a moda rodava na direcção oposta à venda de chapéus e afins. A fachada, de cuidado ordenamento, tinha frisos envolventes em granito polido escuro, sendo o restante revestimento em tons claros mas do mesmo material, enquadrando a porta de serviço isolada e o estabelecimento com montras a ladear a porta central, onde o friso inferior define uma convidativa soleira e atenua o desnível do arruamento.

FACHADA CORTE

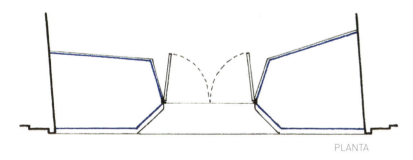

PLANTA

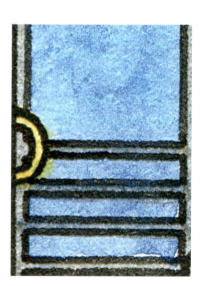

CASA LIMA
Rua de Sá da Bandeira, 83

Ano/Autor: 1936 / Januário Godinho, Arq.
Loja especializada em malas e carteiras com um projecto de uma modernidade natural e simples, executado pelo autor quando este desenvolvia trabalhos de alteração arquitectónica no café vizinho. Apresenta uma fachada vítrea com montras facetadas na direcção da porta central, sob um friso que demarca a bandeira, com caixilharia metálica e letrismos lineares.

FACHADA

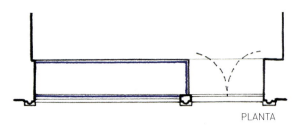
PLANTA

FACHADA

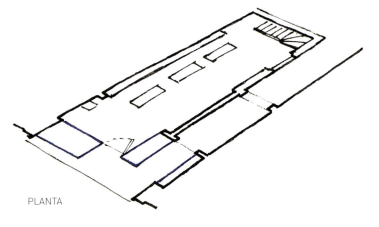
PLANTA

LUVARIA BONIFÁCIA
Rua de 31 de Janeiro, 179-183

Ano/Autor: 1909 / Manoel F. S. Janeira, M.Ob.
As luvarias constituíam um nicho de mercado de pequena dimensão e íntima especialização, pelo que nunca teriam a expressão das chapelarias que se disseminavam pelas ruas comerciais. A luvaria construída para Bonifácia Gonçalves Simões apresenta uma montra e porta lateral separadas por colunas embebidas, com apontamentos decorativos na parte superior da cornija-entablamento. Esta *devanture* em madeira é demolida por um projecto modernista em 1937.

LUVARIA VENEZA (J. RODRIGUES GRANJO)
Rua de Santa Catarina, 337

Ano/Autor: 1958 / J. Almeida Bento, Arq.
Formosa frontaria dos anos 50 com um tecto inclinado inserto de alvéolos para iluminar a cândida transparência dos planos vítreos em rítmica disposição. A montra que acompanha a rua afirma os letrismos superiormente, e a outra montra aproveita o espaço de exposição promovido pelo recuo da porta de serviço do edifício. Demolida no último quartel do século XX.

CORTE – INTERIOR

PLANTA

FACHADA

CARDOSO CABELEIREIRO
Rua do Bonjardim, 105

Ano/Autor: 1906

Após um percurso afamado como mestre-artesão de cabeleiras, Jerónimo Cardoso Jorge decidiu instalar-se na Rua do Bonjardim, próximo dos vários teatros existentes na zona. Empenhado no aprofundamento do seu mister, visitou a exposição mundial de Paris em 1900, onde recolheu ensinamentos e trouxe catálogos com figurinos de cabeleiras, utensílios vários e bustos em cera que reflectiam uma alma inspiradora. No simples interior oficinal sente-se o tempo sincopado da preciosa execução, enquanto se iluminam os olhos para as vitrines sentindo a estranheza do espelho humano. Se o futuro da cidade do Porto perde uma loja assim, então também perde parte da sua alma.

Título
Lojas do Porto

Autor
Luís Aguiar Branco | www.arqlab.pt

Desenhos e fotografias
Luís Aguiar Branco (salvo os devidamente identificados)

Apoio informático
Vera Santos Silva e Pedro Cardoso
© 2009, Luís Aguiar Branco e Edições Afrontamento

Edição
Edições Afrontamento, Lda., Rua Costa Cabral, 859 – 4200-225 Porto
geral@edicoesafrontamento.pt | www.edicoesafrontamento.pt

Nº de edição
1249

Colecção
Porto Arquitecturas, I

Concepção Gráfica
Edições Afrontamento, Departamento Gráfico

ISBN
978-972-36-1046-8

Depósito Legal
303073/09

Impressão e Acabamento
Rainho & Neves, Lda, Santa Maria da Feira
geral@rainhoeneves.pt

Dezembro de 2009